Y0-CBT-394

1 동물농장
2 걸리버 여행기
3 좁은문
4 돈 키호테
5 죄와 벌
6 정글북
7 지킬 박사와 하이드
8 전쟁과 평화
9 지구에서 달까지
10 허클베리 핀의 모험
11 비밀의 화원
12 이상한 나라의 앨리스
13 아큐정전
변신
22 피터 팬
23 위대한 개츠비
24 닐스의 이상한 모험
25 오만과 편견
26 로빈슨 크루소
27 홍당무
28 타임머신
29 파우스트

15
16 어머니
17 오즈의 마법사
18 허풍선이 남작의 모험
19 도련님
20 제인 에어
21 올리버 트위스트
진정하라구. 행복은 서두른다고 찾을 수 있는 게 아니걸랑. 자, 마음을 비우고 파랑새를 따라가 보자.
행복! 내가 다 찾아 버리겠어! 우헤헤!
틸틸과 미틸이 행복의 비밀을 알려 줄 거야.
논술명작 30
파랑새

아이세움 논술 | 명작 30

파랑새

감수 및 개발 참여

책임 감수

박우현 전 한우리독서문화운동본부 교육원장, 동국대 철학 박사

논술 집필진

김영건 서강대 철학 박사, 계명대 연구교수
문계연 논술 연구 및 집필가, 연세대 윤리교육대학원 석사
박민미 동국대 강사, 독서평설 필자, 동국대 철학 박사 수료
오창희 독서지도사, 논술지도사, 고려대 국어교육대학원 석사

아이세움 논술 | 명작 30

파랑새

원작 M. 마테를링크 | **엮음** 최문애 | **그림** 윤유리 | **감수** 박우현
펴낸날 2006년 8월 25일 초판 1쇄, 2013년 10월 25일 초판 10쇄
펴낸이 김영진

본부장 조은희 | **사업실장** 이영호
편집장 박철주 | **편집 · 진행** 박은식, 박희정, 임지은, 위혜정 | **디자인** 서남이
펴낸곳 (주)미래엔 | **주소** 서울시 서초구 잠원동 41-10
전화 마케팅 02)3475-3843~4 | 편집 02)3475-3924 | **팩스** 02)541-8249
등록 1950년 11월 1일 제16-67호 | **홈페이지** www.i-seum.com

ISBN 978-89-378-4113-2 74890
ISBN 978-89-378-4116-3 (세트)

· 책값은 뒤표지에 있습니다.
· 파본은 구입처에서 교환해 드리며, 관련 법령에 따라 환불해 드립니다. 다만, 제품 훼손 시 환불이 불가능합니다..

Mirae N 아이세움은 (주)미래엔의 어린이책 브랜드입니다.

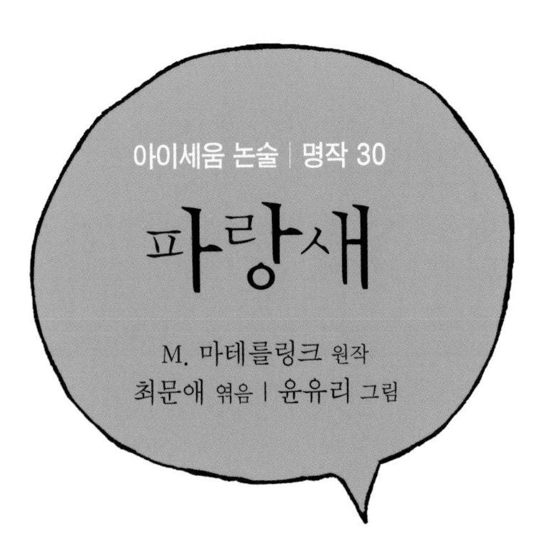

아이세움 논술 | 명작 30

파랑새

M. 마테를링크 원작

최문애 엮음 | 윤유리 그림

| 머리말 |

좋은 책 한 권이 열 학원보다 낫습니다

세월이 가도 우리의 가슴에 남아 있는 책이 고전이요, 시간이 흘러도 우리의 머리에 오래 기억되는 작품이 명작입니다. 좋은 책은 읽는 것만으로도 가치가 있습니다. 어렸을 때 감동 깊게 읽은 책들은 세월이 가도 내 몸에 향기로 남습니다.

책의 향기는 그 어떤 향기보다 향기롭습니다.

독서를 한 후에 생기는 느낌은 상당히 중요합니다. 나의 느낌은 나만의 재산입니다. 그 느낌을 말로 표현하거나 글로 써 보면 한 번 더 생각하는 사람이 됩니다. 한 번 더 생각하면 생각이 깊어지고 정확해집니다.

〈아이세움 논술 | 명작〉은 '좋은 책을 한 번 더 읽자' 는 의도에서 만든 것입니다. 책은 읽어야 내 것이 됩니다. 느낌으로 다가오고 생각으로 다가옵니다. 그러나 학년이 올라가면 올라갈

수록 느낌만이 아니라 자신의 생각도 중요해집니다. 나의 생각이 곧 내가 누구인지를 알려 주는 것이기 때문입니다.

어떤 문제에 대해 자신만의 생각을 적절한 이유와 더불어 쓰는 것이 논술입니다. 〈아이세움 논술 | 명작〉은 책을 다 읽은 후에 그와 관련된 것들을 한 번 더 생각해 보는 데 도움을 줍니다. 그리하여 우리가 읽은 명작을 내 것이 되도록 도와줍니다.

좋은 책 한 권은 열 학원보다 낫습니다.

쓰기가 싫으면 그냥 재미있는 책만 읽어도 됩니다. 명작을 읽는 것만으로도 훌륭한 공부를 하는 것이니까요. 그러다 어느 순간에 쓰고 싶은 생각이 들면 써 보세요. 생각나는 대로 써도 좋습니다. 쓴다는 사실만으로도 한 단계 발전한 것이니까요.

가슴에 쓰는 글은 나를 위해 쓰는 글이며 종이에 쓰는 글은 역사를 위해 쓰는 글입니다. 글이 역사를 만듭니다. 명작과 더불어 향기를 느끼고 자신의 글과 더불어 생각하는 사람이 되기를 진심으로 바랍니다.

전 한우리독서문화운동본부 교육원장

박우현

| 추천하는 글 |

명작 읽기의 소중함

열심히 책만 읽기에는 너무 고단한 우리 학생들에게 다시 '논술' 열풍이 불고 있다. 학생들이 스스로 즐겨 그렇게 된 것은 아니지만, 학생들을 위해 결코 나쁜 일이라고만 말할 수는 없을 것이다.

새삼스러운 얘기일 터이지만 좋은 글을 쓸 수 있는 가장 빠른 길은 "많이 읽고(다독多讀)·많이 쓰고(다작多作)·많이 생각(다상량多商量)"하는 삼다(三多)밖에 다른 것이 없다.

먼저 다독이 문제다. 많이 읽는다고 해서 아무 책이나 마구잡이로 읽는 것을 다독이라고 하지는 않는다. 많이 읽되, 좋은 책을 읽을 때 그것이 다독이다. 그렇다면 어떤 책이 좋은 책일까?

우선 고전이라 할 명작에는 사람이 세상을 살면서 알아야 할 온갖 삶의 지혜와 가치가 담겨 있다. 가령 〈지킬 박사와 하이드〉에서는 인간 내면에 혼재해 있는 선과 악의 대립을, 〈동물농장〉

에서는 삶을 한없이 타락시키는 전체주의와 아름다운 삶을 지향하는 인간의 무한한 이상의 끊임없는 갈등과 투쟁에 대한 반추를 해 볼 수 있다. 이런 고전을 재미있게 읽고 생각하는 기회를 갖는 것이 바로 좋은 글을 쓸 수 있는 바탕이다. 문제는 고전이 너무 어렵고 분량이 방대하다는 점이다.

이번에 출간된 〈아이세움 논술 | 명작〉은 원전의 내용을 재구성해 어린 학생들이 쉽게 고전과 친해지도록 만들었다. 지루함을 덜기 위해 캐릭터를 사용해서 그 캐릭터들과 끊임없이 교감하며 끝까지 책을 손에서 놓지 못하게 만든 것도 이 시리즈의 특색이요 장점일 터이다. 책 뒤에 논술을 학습할 수 있도록 논술 워크북과 가이드북을 제공하여 '학습과 논술' 이라는 두 문제를 다 해결할 수 있도록 배려한 점도 주목할 만하다. 어린 학생들이 편안하고 소중한 독서 경험을 하리라 본다.

물론 이 명작선은 완역본이 아니므로 이것만 읽어서는 해당 작품을 제대로 읽었다고 말할 수 없을 것이다. 그러나 훗날 학생들이 성장하여 완역본으로 다시 읽고 올바르게 이해하는 데 큰 도움이 되도록 세심한 배려를 했다.

이 점도 이 시리즈가 귀하고 값진 이유이다.

시인

신경림

| 차 례 |

파랑새를 찾기 위해
뒤뚱이랑
함께 떠나자~!

어딜 가려고?
번삐리도
같이 가야지!

PART 1 명작 살펴보기

만화로 미리 보기 12

어떤 이야기인가요? 14

한눈에 살펴보기 16

이렇게 읽어 보세요! 20

PART 2 명작 읽기

1장 | 나무꾼의 아이들 24

2장 | 요술쟁이 베릴륀의 집 50

3장 | 추억의 나라 59

4장 | 밤의 궁전 74

5장 | 숲 속에서 93

6장 | 묘지에서 115

7장 | 행복의 궁전 122

8장 | 미래의 나라 144

9장 | 헤어짐 164

PART 3 깊어지는 논술

작품 소개 184

작가 소개 185

생각의 날개를 펼쳐요! 186

PART 4 논술 워크북

논술 6단계 194

가이드북 201

파랑새 찾기는
내게 맡겨라!
흥,
지도를 보고 찾는
우리가 더 빠를걸!
팬티맨
튜브
박테리아
고로케

PART 1

명작 살펴보기

명작 살펴보기

만화로 미리 보기

행복을 찾아
떠난다니, 어서
따라가야겠군.

행복을 찾아라!

번빠리와 뒤뚱이 남매가 행복과 숨바꼭질을 하고 있군요.
행복은 모두 어디에 숨었을까요?
우리 같이 찾아봐요!

아무래도
우리 방엔
행복이 없는 것 같아.
행복아!
어디, 어디
숨었니?

다른 친구들이 나보다 공부를 잘한다고,
얼굴이 예쁘다고 부러워하지 마세요.
여러분 곁에도 분명 다른 사람들이 부러워할 만한
특별한 **행복들이 잔뜩 있을 테니까요.**

행복은 어디에 있을까요?

크리스마스 전날 밤, 틸틸과 미틸 남매는 잠을 이루지 못합니다. 앞집의 크리스마스 파티 불빛 때문입니다. 크리스마스 선물을 받지 못한 남매는 맛있는 과자와 멋진 장난감을 갖고 있는 앞집 아이들을 부러워합니다. 과연 행복은 부잣집에만 있는 것일까요?

우리가 함께 읽어 볼 작품은 〈파랑새〉입니다. 마테를링크의 작품 〈파랑새〉는 틸틸과 미틸 남매가 요술쟁이 할머니의 부탁을 받고, 행복을 상징하는 파랑새를 찾아 여행을 떠나는 이야기입니다.

파랑새는 동화극인데
연극, 뮤지컬로 만들어져
많은 사랑을 받았어.
또 노벨 문학상을 받은
작품이기도 하지.

파랑새를 찾으러 출발!

요술쟁이 할머니에게는 병에 걸린 딸이 있어요. 그 딸은 행복해지고 싶지만 파랑새가 없어서 불행하대요. 그래서 할머니는 틸틸과 미틸에게 파랑새를 찾아 달라고 부탁합니다. 그러면서 틸틸에게 다이아몬드가 박힌 요술 모자를 주지요. 요술 모자는 눈으로 볼 수 없는 것들을 보여 줍니다. 틸틸과 미틸은 요술 모자를 쓰고 여러 요정들과 함께 파랑새를 찾아 떠납니다.

파랑새를 찾기 위해서 틸틸 일행은 추억의 나라, 밤의 궁전, 숲속, 묘지, 행복의 궁전, 미래의 나라를 두루 찾아갑니다. 이들은 과연 파랑새를 찾을 수 있을까요?

한눈에 살펴보기
할머니 만나러 꼭 다시 와야 해!
할아버지는 너희의 추억 속에 살아 있단다.
나는 베릴륀 할머니! 애들아, 제발 파랑새를 찾아다오.

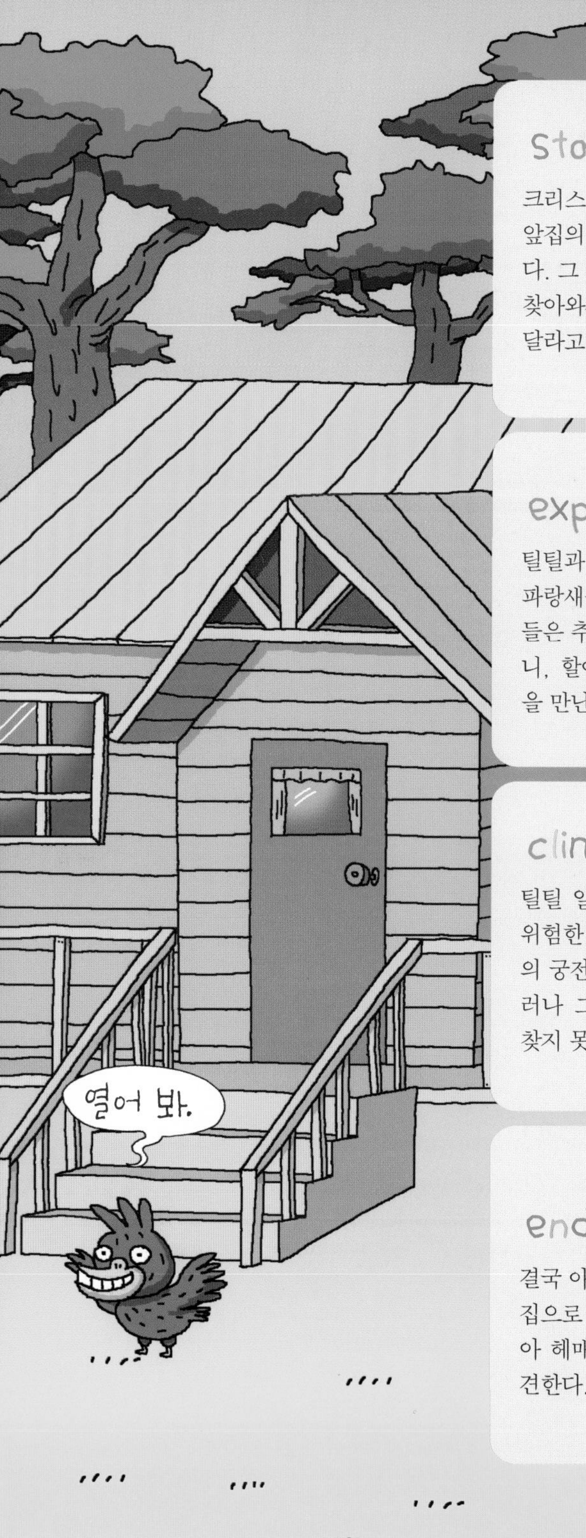

Start 발단

크리스마스 전날 밤, 틸틸과 미틸은 앞집의 크리스마스 파티를 부러워한다. 그 때, 요술쟁이 베릴륀 할머니가 찾아와서 아이들에게 파랑새를 찾아 달라고 부탁한다.

expansion 전개

틸틸과 미틸은 여러 요정들과 함께 파랑새를 찾으러 떠난다. 먼저 아이들은 추억의 나라에서 돌아가신 할머니, 할아버지와 어려서 죽은 동생들을 만난다.

climax 절정

틸틸 일행은 밤의 궁전과 숲 속에서 위험한 고비를 잘 넘기고 묘지, 행복의 궁전, 미래의 나라를 찾아간다. 그러나 그 어디에서도 진짜 파랑새를 찾지 못한다.

ending 결말

결국 아이들은 파랑새를 찾지 못하고 집으로 돌아온다. 그러나 그토록 찾아 헤매던 파랑새를 바로 집에서 발견한다.

나는 밤의 여왕!
어둠 속에 묻힌 내 비밀을
감히 파헤치겠다고?
나는
고양이의 요정 틸레트!
여왕님! 아이들이
파랑새를 못 찾도록
제가 도와 드릴게요.
난 개의 요정 틸로!
역시 고양이는
믿을 게 못 된다니까!
이제 접어.
불의 요정도요!

나는 미틸!
파랑새를 찾아 떠나는 여행이라고요?
좀 무섭지만 그래도
오빠와 함께라면…….
걱정 마세요!
나 틸틸이
당장 파랑새를
찾아 드릴게요.
틸틸과 미틸 님,
나 빛의 요정이
여러분을 돕겠어요!
빵의 요정도요!

이렇게 읽어 보세요!

행복은 눈에 보이지 않는다?

〈파랑새〉가 출판된 20세기 초는 전 시대에 비해 과학 발달이 두드러진 시기였습니다. 19세기부터 전화, 전기 등이 발명되었고, 사람들은 점점 과학적이고 합리적인 것들에 길들여졌습니다.

이러한 시대적 상황과 반대 입장에 서 있는 것을 상징주의라고 할 수 있습니다. 상징주의는 삶을 사실적으로 표현하기보다는 내면적이고 주관적인 관점에서 그려 냅니다.

〈파랑새〉의 작가 마테를링크는 대표적인 상징주의 극작가입니다. 그는 '영혼이 귀를 기울이는 소리'를 전달하고자 노력했습니다. 또한 위대한 드라마는 언어의 아름다움, 우리들 주변과 내부에 대한 묘사, 그리고 신비로운 삶을 나타낼 수 있는 분위기의 창출이라는 세 가지 요소로 만들어진다고 말했습니다.

작가의 이런 생각은 〈파랑새〉에 고스란히 녹아 있답니다.

◀ 여러분은 행복을 상징하는 파랑새를 본 적이 있나요?

돈 많이 벌어서, 비싸고 좋은 옷을 입으면 행복할 것 같아.

행복이란 과연 무엇일까요?

소설 〈파랑새〉에는 파랑새를 갖지 못해 불행한 여자 아이가 나옵니다. 그 아이에게 파랑새를 찾아 주기 위해 틸틸과 미틸은 여행을 떠나지요.

틸틸과 미틸은 여행을 다니며 놀라운 경험을 합니다. 이 세상은 겉으로 보이는 모습과 실제의 모습에 엄청난 차이가 있었기 때문이지요. 작가는 틸틸과 미틸의 파란만장한 여행을 통해서 과연 '눈에 보이는 것이 참된 가치인가?' 하는 물음을 던집니다. 여러분은 그 물음에 대한 답을 찾는 과정에서 아마 행복이 무엇인지 생각해 보게 될 거예요.

그럼, 파랑새를 찾아 함께 떠나 볼까요!

중요한 건 마음이야. 물질적인 것이 행복을 가져다 준다고 생각하지 않아.

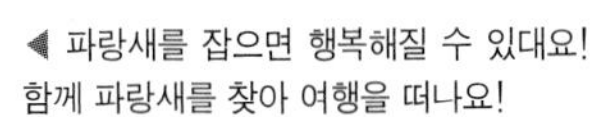
◀ 파랑새를 잡으면 행복해질 수 있대요! 함께 파랑새를 찾아 여행을 떠나요!

잠시 휴식! 요구르트 한 잔 마시고 〈파랑새〉를 읽어 보세요!

PART 2

명작 읽기

틸틸과 미틸은
무엇을 찾아다닐까?

명작 읽기

1장
나무꾼의 아이들

시렁이란,
순 우리말로 물건을 얹기
위해 방이나 마루 벽에
두 개의 긴 나무를 걸쳐
놓은 것을 말해.

크리스마스 전날 밤, 집 안의 모든 것들이 평화롭게 잠들어 있었다. 벽난로에 타다 남은 장작개비가 희뿌연 연기를 뿜고 있었고, 벽시계의 똑딱거리는 소리는 유달리 크게 들려왔다. 탁자 위에 램프는 어슴푸레한 빛을 냈다. 시렁 밑에 개와 고양이는 몸을 둥글게 만 채 잠들어 있었고, 둥근 새장 속에는 산비둘기 한 마리가 있었다.

엄마는 틸틸과 미틸에게 이불을 덮어 주었다. 그리고

머리를 쓸어 주며 이마에 뽀뽀를 했다. 문 밖에 서 있는 아빠에게는 이제 아이들이 잠들었으니 조용히 하라는 표시를 했다. 엄마는 곧 램프의 불을 끄고 밖으로 나갔다.

그런데 램프의 불이 꺼졌는데도 방 안은 어둡지 않았다. 앞집에서 크리스마스 파티를 하고 있었기 때문이다. 집 안이 조용해지자 파티 소리가 시끌벅적하게 밀려 들어왔다. 틸틸과 미틸은 도저히 잠을 잘 수 없었다.

두 아이는 창문 밑에 놓여 있는 발판에 올라섰다. 창문을 활짝 열자 눈이 부시도록 밝은 빛이 쏟아져 들어왔다. 아이들은 넋을 잃고 불빛을 바라보았다.

"오빠, 앞집 탁자 위에 잔뜩 쌓여 있는 게 뭐야?"

"과자, 과일, 파이……."

"아, 먹고 싶다."

틸틸과 미틸은 집안 형편形便이 넉넉하지 못한 탓에 예쁘게 꾸민 크리스마스 트리나 맛있는 과자, 파이는 구경

형편(形便) : 살림살이의 정도.

틸틸 오빠,
저 과자 좀 봐!
그러게, 미틸.
정말 맛있겠다, 쩝.

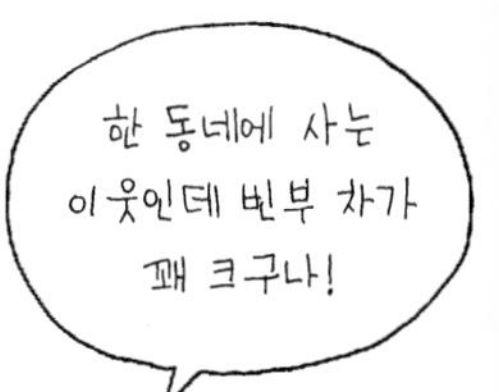

도 할 수 없었다. 남매는 부러움 가득한 눈으로 앞집을 바라보았다. 틸틸이 창 밖을 보며 외쳤다.

"와, 눈이 온다. 여섯 마리 말이 끄는 마차도 왔어."

"남자 아이 열두 명이 내렸어."

"바보야, 여자잖아."

"모두 반바지를 입었는걸."

미틸은 틸틸의 핀잔에도 아랑곳하지 않고 자기의 말이 맞다고 우겼다.

"오빠, 트리에 반짝이는 게 잔뜩 달려 있어."

"총, 칼, 병정, 대포 같은 것들이지."

"인형도 있을 거야, 인형! 난 산타클로스 할아버지가 인형을 주셨으면 좋겠어."

미틸이 앞집의 파티 분위기에 잔뜩 취해서 말했다. 그러나 틸틸은 산타클로스 할아버지에게 선물을 받을 수 없다는 걸 잘 알고 있었다. 엄마가 크리스마스 전날까지 일을 해야 돼서, 미처 산타클로스 할아버지에게 미틸과 틸독일의 어느 목사님이 눈 쌓인 전나무에 꼬마 전구를 달아서 크리스마스 트리를 제일 처음 만들었다며?

틸에게 줄 선물을 부탁付託하러 갈 시간이 없었기 때문이다. 틸틸이 이 사실을 말하자 미틸은 금세 풀이 죽었다.

그 때 방 문을 두드리는 소리가 들렸다.

"누구지?"

"아빠일 거야."

두 아이는 여태 잠을 자지 않아서 혼날까 봐 문 여는 것을 망설였다. 그런데 빗장이 '삐걱' 소리를 내며 저절로 올라가는 것이 아닌가. 문이 열리자 초록색 옷에 빨간 두건을 쓴 할머니가 들어왔다. 할머니는 꼽추에 절름발이였는데, 코끝이 구부러져 있어 턱에 닿을 것만 같았다.

응. 그게 크리스마스 트리의 유래야. 환한 빛으로 세상의 어둠을 밝힌다는 의미래.

"오빠, 저 할머니 꼭 요술쟁이 같아."

깜짝 놀란 미틸이 틸틸에게만 들리도록 살짝 얘기

부탁(付託) : 어떤 일을 해 달라고 청하거나 맡김.

했다. 할머니는 지팡이를 짚고 아이들 쪽으로 다가왔다.

"혹시 이 집에 노래하는 풀이나 파랑새가 있니?"

"풀은 있지만 노래는 못 해요."

"하지만 새는 있어요. 저기요!"

미틸이 둥근 새장을 가리키며 대답했다.

"안 돼!"

순간 틸틸이 단호斷乎하게 말했다.

"그 새를 내게 줄 수 없니?"

요술쟁이 할머니가 물었다.

"안 돼요, 제가 굉장히 아끼는 새거든요."

틸틸의 대답을 들은 요술쟁이 할머니는 안경을 고쳐 쓰고 새장 속을 유심히 보았다.

"음, 이 새를 말한 거구나. 그렇다면 나도 됐다. 이 새라면 나도 필요 없다. 난 파랑새를 찾고 있거든. 혹시, 혹시 말이다. 너희가 파랑새를 찾아 줄 수 있겠니?"

단호(斷乎) : 결심한 것을 행동하는 태도가 과단성 있고 엄격함.

<파랑새>의 작가
마테를링크는
상징주의 작가로
유명해.

"저희는 파랑새가 어떻게 생겼는지, 어디에 있는지 모르는걸요."

"나도 그렇단다. 그러니까 너희들이 도와 줘야겠구나. 노래하는 풀은 없어도 되지만, 파랑새는 꼭 찾아야 해. 내 딸이 몹시 아프거든. 그 아이가 낫기 위해서 파랑새가 꼭 필요하단다."

"파랑새가 왜 필요한데요?"

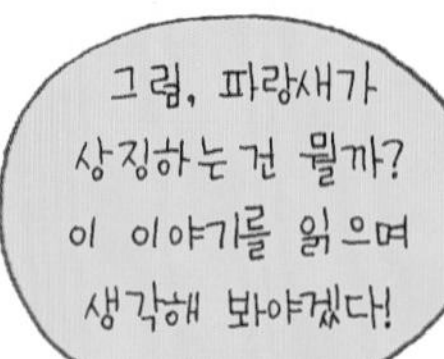
그럼, 파랑새가
상징하는 건 뭘까?
이 이야기를 읽으며
생각해 봐야겠다!

"내 딸은 행복해지는 게 소원이거든. 그런데 그러지 못해서 병이 났어."

"파랑새를 찾으면 행복해지나요?"

"그럼. 그런데 너희들 내가 누군지 아니?"

"아니요. 하지만 옆집 베를랭고 할머니와 닮은 것 같아요."

그 말에 요술쟁이 할머니는 버럭 화를 냈다.

"뭐? 옆집 할머니? 그런 말도 안 되는 소리! 나는 요술쟁이 베릴륀이야!"

"아, 그렇군요!"

파랑새가 있어야
딸아이 병이 낫거든.
하지만 이 새는
파랑새가 아니야.
꼭 옆집
베를랭고 할머니처럼
생겼다…….
그런데 파랑새는
어디에 있나요?

틸틸은 요술쟁이 할머니가 노여움을 풀기 바라며 힘차게 고개를 끄덕였다.

"지금 당장 떠나면 좋겠구나."

"할머니도 함께 가시는 거예요?"

"아니, 난 수프를 불 위에 올려놓고 왔단다. 팔팔 끓기 전에 얼른 내려놓아야 해. 그런데 너희들, 어느 쪽으로 나갈 테냐? 천장이냐? 아니면 굴뚝으로? 그것도 아니면 혹시, 창문?"

틸틸은 온몸을 덜덜 떨며 현관문을 가리켰다.

"무, 문으로 갈게요."

그 모습을 보고 요술쟁이 할머니는 또다시 화를 냈다.

"왜 그렇게 사시나무 떨 듯 떠는 거냐? 그동안 문으로 다녔다면 이번에는 창문으로 나가 봐. 자, 어서!"

요술쟁이 할머니의 말이 떨어지기 무섭게 아이들은 옷을 갈아입었다. 미틸이 웃옷의 단추를 채우

지 못하자, 요술쟁이 할머니가 도와 주었다.

"엄마랑 아빠는 어디 계시니?"

"옆방에서 주무시고 계세요."

"할머니, 할아버지는?"

"돌아가신 지 꽤 오래 됐어요."

"동생들은 몇 명이냐?"

"남동생이 셋, 여동생도 넷이나 있었어요. 근데 어렸을 때, 모두 죽었어요."

틸틸과 미틸은 다시는 그들을 볼 수 없다는 생각에 갑자기 울컥 눈물이 쏟아졌다.

"그들을 만나고 싶지 않니?"

요술쟁이 할머니가 넌지시 물었다.

"네, 보고 싶어요. 모두 다요!"

아이들은 간절懇切한 눈빛으로 요술쟁이 할머니의 팔을 꼭 붙잡았다.

간절(懇切) : 정성이나 마음 씀씀이가 지극히 정성스럽고 절박함.

"지금 당장은 아니지만, 곧 만나게 해 주마. 파랑새를 찾으러 가는 길에 '추억追憶의 나라'를 지나게 될 거야. 아마 그 곳에서 만날 수 있을 거다. 그런데 내가 오기 전에 너희들은 뭘 하고 있었니?"

"저길 보고 있었어요. 예쁜 크리스마스 트리랑, 맛있는 과자랑 파이가 있는 곳이요!"

"저런, 자기들만 배 터지게 먹는구나. 정말 못됐다, 못됐어. 부럽니?"

"아니요, 보기만 해도 좋은걸요."

"하긴, 여기도 아름답고 좋은데, 뭘."

할머니가 틸틸에게 미소를 지으며 말했다. 할머니가 빈말을 한다고 생각한 틸틸은 괜히 심통이 나서 툴툴거렸다. 틸틸의 눈에는 아무리 보아도 부잣집이 더 근사해 보였다.

"이 집이나 저 집이나 다를 게 전혀 없는걸. 꼬마야, 눈

추억(追憶) : 지나간 일을 돌이켜 생각함.

에 보이는 게 다가 아니란다."

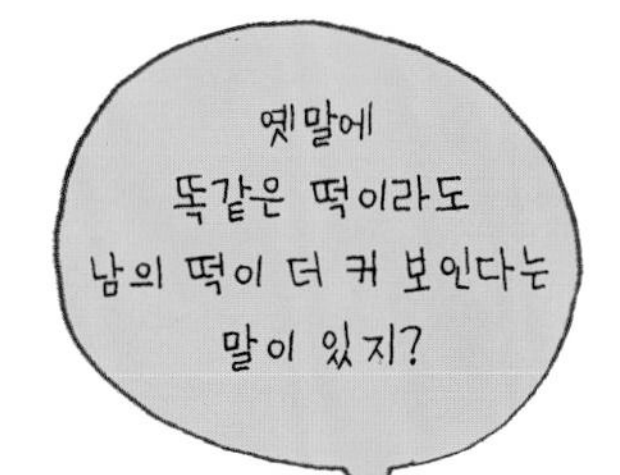
옛말에
똑같은 떡이라도
남의 떡이 더 커 보인다는
말이 있지?

요술쟁이 할머니는 그렇게 말하며 주머니에서 모자를 꺼냈다.

"와, 작고 예쁜 모자다!"

틸틸이 탄성歎聲을 질렀다.

"이건 요술 모자란다. 자, 받아라."

요술쟁이 할머니는 틸틸에게 모자를 건네주었다.

"그런데 반짝거리는 이건 뭐지요?"

"다이아몬드란다. 눈으로 볼 수 없는 것들을 보게 해 주지."

"정말요?"

틸틸의 입이 떡 벌어졌다.

"그렇고말고. 모자를 쓰고 다이아몬드를 오른쪽에서 왼쪽으로 천천히 돌리면 돼. 다이아몬드가 머리카락 속에

탄성(歎聲) : 감탄하는 소리.

와, 머릿속에
혹이 있다고? 어디? 어디?
얼른 찾아봐야지!

숨어 있는 혹을 눌러서 안 보이는 것들을 볼 수 있게 해 준단다."

요술쟁이 할머니는 친절하게 모자의 사용법을 설명해 주었다.

"아프면 어떡하죠?"

"전혀 아프지 않아. 잘 들어 봐. 다이아몬드를 조금 돌리면 과거의 일이 보이고 조금 더 돌리면 앞으로 일어날 일들이 보인단다. 자, 다이아몬드를 돌려 보렴."

그렇게 말하며 요술쟁이 할머니는 틸틸의 머리에 요술 모자를 씌어 주었다. 틸틸은 할머니의 말이 사실인지 궁금해서 재빨리 다이아몬드를 돌렸다. 그러자 놀랍게도 방 안의 모든 것들이 변했다. 벽은 파랗게 반짝이는 에메랄드로 바뀌었다. 요술쟁이 할머니는 아름다운 공주로 변했고, 볼품 없던 가구들은 새 것처럼 윤기가 흘렀다. 또 벽시계의 숫자들이 윙크를 하며 싱글벙글 웃었다. 곧이어 시계 밑의 작은 문이 열리더니 시간의 요정들이 나와서

춤을 추었다. 틸틸과 미틸의 눈이 동그래졌다.

"시계에서 나온 저 아이들은 누구예요?"

"쟤들은 하루하루 흘러가는 시간이란다."

"벽은 왜 저렇게 반짝거리죠? 꼭 보석 같아요."

"모든 돌은 다 보석이란다. 그런데 사람들은 몇몇 돌만 보석이라고 생각하지. 어리석게 말이다."

요술쟁이 할머니와 얘기하는 중에도 신기한 마술은 계속 이어졌다. 키 작은 빵의 요정이 탁자 주변周邊을 정신없이 뛰어다녔다. 이어서 불의 요정이 어슬렁거리며 벽난로에서 나왔다. 불의 요정은 호탕하게 웃으며 팔자걸음으로 빵의 요정 뒤를 쫓아다녔다.

"저 키 작은 사람은 누구예요?"

쏜살같이 뛰어다니는 빵의 요정을 쳐다보던 틸틸은 아찔해서 순간적으로 눈을 감았다.

"빵의 요정이란다."

주변(周邊) : 어떤 대상의 둘레.

저 아이들은
너희가 쓰는
시간이란다.
아하하!
헤헤.
호호호.
아앗! 너무
눈부셔!
와~, 예쁜
요정들이야!

"그럼, 빨간색 옷을 입은 저 사람은요?"

"쉿! 조용히 하렴. 불의 요정이란다. 성격이 아주 난폭하지."

그 때 시렁 밑에서 잠을 자던 개와 고양이가 동시에 하품을 하면서 사람처럼 일어났다. 개는 크게 환호성을 지르며 틸틸의 주위를 빙빙 돌았다.

원작에서는
'불독의 얼굴에 사람의 몸을
하고 있는 개'라고
나와 있어.

"안녕하세요? 내가 제일 좋아하는 틸틸 도련님! 이렇게 얘기를 할 수 있게 돼서 정말, 정말 기뻐요."

개가 유별나게 호들갑을 떨자, 틸틸은 정신이 없었다.

"이 사람은 누구예요?"

"네가 부린 다이아몬드 마술 덕에 자유로워진 개의 요정, 틸로란다."

고양이도 개에게 뒤질세라 재빨리 미틸 옆으로 다가가 손을 잡았다.

불독은
다른 사람에게는 사납지만
주인은 충성을 다해
섬긴다고 해.

빵의 요정, 불의 요정처럼 식물, 돌, 심지어 번개와 지진 같은 자연 현상 속에도 영혼이 있다고 생각하던 때가 있었어.

"안녕하세요? 어쩜 이렇게 아름다우실까!"

미틸은 아름답다는 말에 금세 기분이 좋아졌다. 두 볼이 발그레해진 미틸은 할머니에게 물었다.

"이 여자는 누구예요?"

"고양이의 요정 틸레트란다. 뽀뽀해 주렴."

미틸이 틸레트에게 입을 맞추려고 하자 틸로가 재빨리 다가와 틸레트를 밀어젖히고 몸부림쳤다.

그런 게 '애니미즘'이지? 작가는 아마 애니미즘의 영향을 받았나 봐.

"저도, 저도 해 주세요!"

옆에 서 있는 고양이의 요정이 바로 틸레트라는 것을 모르는 틸로는 뽀뽀를 받을 생각에 마냥 기분이 좋아져서 '멍멍' 짖어 댔다. 그러자 틸레트는 어이가 없어서 틸로를 보며 톡 쏘아붙였다. 그 모습을 본 요술쟁이 할머니는 지팡이를 휘두르며 말했다.

"조용히 해! 계속 시끄럽게 굴면 영원히 말을 못 하게 할 테다!"

그러자 틸로와 틸레트는 겁이 나서 슬금슬금 뒷걸음질 쳤다.

그것으로 마술이 끝난 것이 아니었다. 한쪽 구석에 있는 물레는 정신 없이 돌고 있었고, 또다른 구석에 있는 물동이에서는 노랫소리와 함께 물이 뿜어져 나왔다. 흘러넘치는 물 속에서 젊은 아가씨가 나와 다짜고짜 불의 요정에게 달려들었다.

"온몸이 흠뻑 젖은 저 여자는 누구예요?"

"물의 요정이지."

요술쟁이 할머니는 이 모든 일이 익숙한 듯 틸틸의 물음에 차분하게 답해 주었다. 할머니의 말이 끝나자마자 탁자에서 우유병이 떨어지더니 하얗고 긴 옷을 입은 여자가 나타났다. 그 여자는 몹시 부끄러움을 타는 듯 어정쩡한 자세로 서 있었다.

"저 여자는 또 누구죠?"

"우유의 요정이란다."

그 때 시렁 밑에 있던 막대 사탕 봉지가 점점 팽팽해지

베일은
얇고 투명한 천이야.
머리와 얼굴을 보호하고
장식하거나 종교상의
목적으로 사용해.

더니 이내 터져 버렸다. 뿌연 연기와 함께 알록달록한 옷을 입은 사람이 '짠' 하고 나타났다. 미틸은 깜짝 놀라 요술쟁이 할머니 뒤로 숨었다.

"저 사람은요?"

"사탕의 요정!"

미틸은 그제야 안심安心이 되어 꽉 잡고 있던 요술쟁이 할머니의 치맛자락을 놓았다.

갑자기 탁자 위에 있던 램프가 떨어졌다. 순간 불꽃이 치솟아 오르더니, 그 안에서 황홀하게 아름다운 여자가 나왔다. 베일로 얼굴을 가린 그 여자는 땅에 두 발이 박힌 듯 그 자리에서 꼼짝하지 않았다.

"와, 여왕님이신가 봐!"

틸틸이 외쳤다.

베일은
'비밀스럽게 감추어진 상태'를
비유하는 말이야.
'베일에 싸이다.'라는
말이 있잖아.

안심(安心) : 근심 걱정이 없이 마음을 놓음.

하품~
우유의 요정.
사탕의 요정.
빵의 요정.
떨어진 빵부스러기
물의
정이야.
둘 다 틀렸어. 저 여자는 빛의 요정이란다.
와, 여왕님이시다!
아니야! 마리아님이 분명해!
한번 불어 볼래~

"아니야, 마리아님이실 거야."

미틸이 반박하며 소리쳤다.

"둘 다 틀렸다. 저 여자는 빛의 요정이야."

요술쟁이 할머니가 친절하게 말해 주었다.

마술은 쉴새없이 계속되었다. 시렁 위의 냄비가 팽이처럼 돌고 있었고, 찬장 문이 덜커덕 소리를 내며 열렸다 닫혔다. 그 안에는 햇빛인지 달빛인지 모를 아름다운 천들이 한데 펼쳐져 있었다.

그 때였다. 누군가 문을 두드리는 소리가 들렸다.

"아빠야. 우리가 자지 않는 걸 눈치채셨나 봐."

틸틸이 멈칫했다.

"어서 다이아몬드를 돌려!"

요술쟁이 할머니가 다급하게 외쳤다. 틸틸은 할머니의 지시指示에 따라 급히 다이아몬드를 돌렸다.

"이런! 그렇게 빨리 돌리면 어떡하니? 이제는 다 틀렸

지시(指示): 무엇을 하라고 일러서 시킴.

어. 너무 빨리 돌리는 바람에 자기 자리로 돌아갈 수 없게 됐어."

아름다운 공주였던 요술쟁이 할머니는 다시 원래의 모습으로 돌아왔다. 반짝거리던 벽도 빛이 바랬다. 시간의 요정들은 서둘러 벽시계 안으로 들어가고, 신나게 돌아가던 물레도 멈추었다. 그러나 불의 요정은 굴뚝을 찾지 못해 방 안을 정신 없이 뛰어다녔고, 빵의 요정도 빵 그릇 안으로 들어가지 못해서 자리에 주저앉아 울음을 터뜨렸다.

그 때 또 다시 문 두드리는 소리가 들렸다.

"왜 이리 소란騷亂들이야? 얼른 들어가. 충분히 들어갈 수 있을 것 같은데, 뭐."

요술쟁이 할머니도 마음이 다급해져서 빵의 요정을 빵 그릇 속으로 쑤셔 넣으려 했다.

"아, 큰일이네! 못 들어가면 사람들이 날 먹어 버릴 텐

소란(騷亂) : 시끄럽고 어수선함.

데…….”

빵의 요정은 안절부절못했다.

“저도 예전 모습으로 못 돌아갔어요. 이제 우리는 어떻게 되는 건가요?”

고양이 요정, 틸레트는 몹시 초조焦燥해했다.

“흠……. 두 아이의 여행을 따라가는 녀석은 여행이 끝나는 즉시 죽게 될 거야.”

요술쟁이 할머니가 머뭇거리다가 말했다.

“그럼 따라가지 않으면요?”

고양이 요정은 몹시 심각한 표정을 지으며 물었다.

“예전처럼 살아야지.”

요술쟁이 할머니는 솔직하게 대답해 주었다.

그러자 고양이는 어떻게든 예전으로 돌아가려고 애를 썼다. 그러나 개의 요정, 틸로는 죽더라도 틸틸과 함께 떠나겠다고 말했다.

초조(焦燥) : 애태우며 마음을 졸임.

틸로처럼 어려울 때
함께하는 친구가
진정한 친구지.

이전보다 문 두드리는 소리가 더 세게 들렸다.

"분명히 아빠일 거야. 틀림없어!"

틸틸이 소곤거렸다.

"모두 우리 집으로 가자. 여행 채비를 해야지."

결국 모두 함께 여행을 떠나기로 했다. 요술쟁이 할머니는 빵의 요정에게 파랑새를 넣을 새장을 가져오라고 지시했다. 요술쟁이 할머니가 무슨 말인지 모를 주문을 외우자, 창문 쪽 벽이 활짝 열렸다. 모두 순식간瞬息間에 벽 너머로 사라지고 벽은 저절로 닫혔다. 방 안은 다시 어두워졌다. 캄캄한 방 안에 남은 건 틸틸과 미틸뿐이었다.

곧 문이 반쯤 열리더니 엄마와 아빠가

채비는 한자어 '차비'에서
나온 말로 무언가 하기 위한
준비를 이르는 말이야.

순식간(瞬息間) : 극히 짧은 동안.

벽장에서
귀뚜라미가 우나?
정말 이상하네.
다시 조용해졌어요.
아이들도 잘 자고 있네요.

얼굴을 내밀고 방 안을 둘러보았다.

"아무 일도 없군. 귀뚜라미 울음소리였나?"

아빠가 이상하다는 듯이 고개를 갸웃거렸다.

"아이들은요?"

엄마가 걱정하며 물었다.

"곤히 자고 있어."

아빠는 아이들이 잠든 것을 보고 엄마에게 대답했다.

그제야 엄마와 아빠는 안심하고 방으로 돌아갔다.

2장
요술쟁이 베릴륀의 집

요술쟁이 할머니, 베릴륀의 집은 마치 궁전 같았다. 틸틸과 미틸과 요정들이 대리석 기둥이 세워진 웅장雄壯한 현관을 통과하자 넓은 방이 보였다. 요술쟁이 할머니는 그들을 옷 방으로 안내했다.

"각자 마음에 드는 옷을 입으렴."

그렇게 말하고 요술쟁이 할머니는 급히 아픈 딸을 보러 갔다.

방 안에는 화려하고 값비싼 옷들이 많았다. 요정들은

웅장(雄壯) : 우람하고 으리으리함.

마음에 드는 옷을 골라 입었다. 고양이는 금실로 수놓은 검은 옷에 속이 비치는 베일을 걸쳤다. 불의 요정은 갖가지 색깔의 깃털로 머리를 화려하게 장식하고 새빨간 망토를 둘렀다. 사탕의 요정은 흰색과 파란색이 어우러진 비단옷을 골랐다. 물의 요정은 예쁜 옷을 입고 기분이 좋은지 이리저리 사뿐사뿐 걸어다녔다. 한참 후, 마부 옷으로 갈아입은 개가 나와서는 좋아서 펄쩍펄쩍 뛰어다녔다. 마지막으로 빵의 요정이 빵빵하게 부풀어오른 커다란 배를 두드리며 나왔다. 그는 보석이 주렁주렁 매달린 비단옷을 입고 머리에는 터번을 둘렀다. 또 허리춤에는 단검까지 차고 있었다.

머리에
붕대처럼 감아 놓은
터번은 이슬람 교도 및
중동 남자들의
머리 장식이야.

"아이들은 어떤 옷을 입었어?"

고양이가 요정들에게 물었다.

"도련님은 빨간 재킷에 파란색 바지를 입고 흰 양말을 신었어. 동화 속 왕자님이 따로 없다니깐! 그리고 아가씨는 〈헨젤과 그레텔〉의 그레텔 처럼 입고, 신데렐라의 유리 구두를 신었어. 하지만 빛의 요정보다 아름답지는 않아."

〈헨젤과 그레텔〉은
그림 형제의 동화야.
헨젤과 그레텔이 숲 속 마녀에게 잡히지만
지혜로 마녀를 물리치고 집으로 돌아가
행복하게 살게 된다는 이야기지.

빵의 요정은 빛의 요정을 떠올리며 계속 말을 이었다.

"빛의 요정은 달빛처럼 빛나는 옷으로 갈아입었는데, 정말이지 그렇게 품위品位 있고 아름다울 수가 없어."

빵의 요정은 무언가에 홀린 듯 멍하게 있었다. 그러자 고양이는 옷 이야기는 그만 하자며 손을 내저었다.

자기 목숨을
희생하면서까지
남을 돕는 건 어려운 일이야.
그러니 고양이를 못됐다고만
할 수는 없을 것 같아.

"할머니가 한 말을 잊지는 않았겠지? 파랑새를 찾으면 우리의 생명이 끝난다고! 그러니까 우리는

품위(品位) : 사람이 갖추고 있는 고상한 느낌이나 의젓하고 엄숙함. 또는 인격적 가치.

아이들이 파랑새를 찾지 못하도록 해야 돼."

"옳소, 옳소!"

빵의 요정이 고양이의 말에 동의하며 배를 '떵떵' 두드렸다. 다른 요정들도 고양이 말에 찬성하며 고개를 끄덕거렸다. 그러나 개는 몹시 화를 내며 고양이에게 대들었다.

아, 모든 요정들이 아이들을 도우려고 여행에 따라온 것은 아니었어!

"지금 뭐라고 그랬어? 어디 다시 한 번 말해 보시지. 세상에는 사람이 전부야. 우리는 사람에게 복종하고, 사람들이 시키는 대로 해야 해."

고양이는 개의 말을 납득할 수 없었다.

"도대체 왜 우리가 사람이 하란 대로 해야 하지?"

"이유가 어디 있어! 난 사람이 좋아. 그게 이유야. 만일 네가 다른 속셈을 갖고 있다면 내가 가만두지 않겠어."

개는 주먹을 불끈 쥐고 고양이에게 경고했다.

"다들 자기 생각이 있을 거예요. 그러니까 허심탄회하게 터놓고 의논해 보자고요."

사탕의 요정이 차분하게 말했다.

맞아, 맞아.
사람들은 믿을 게
못 돼.
사람들이 좋으니까,
그냥 돕는 거지!
웬 잔말이 많아?
왜 항상
사람들 말을
따라야 하지? 왜?
개의 요정,
사탕 먹고 진정해.
잘들 한다~.

"완전 동감, 동감!"

줏대 없는 빵의 요정이 외쳤다.

"그 동안 우리가 얼마나 사람들한테 당했지? 사람들이 나타나기 전에는 물과 불이 이 세상을 지배했잖아. 그 때 우리는 정말이지 자유로웠어. 그런데 지금 어떻게 됐나 보라고! 앗!"

고양이가 깜짝 놀라 외마디 비명을 지르자 요정들은 모두 고양이의 시선을 따라 고개를 돌렸다. 요술쟁이 할머니와 빛의 요정 뒤로 틸틸과 미틸이 따르고 있었다.

고양이는 얼른 몸을 낮추고는 낮게 속삭였다.

"모두 아무 일 없었던 것처럼 행동해야 돼."

"무슨 수작酬酌을 꾸미고 있는 거냐?"

요술쟁이 베릴륀이 큰 소리로 호통을 치자 요정들은 모두 고양이 뒤로 슬금슬금 물러났다.

수작(酬酌) : 남의 말이나 행동, 계획을 낮잡아 이르는 말.

"일단 시간이 없으니 그냥 넘어가겠다. 자, 이제 떠날 시간이 됐구나. 내 마술 지팡이는 빛의 요정에게 줄 테니 너희들은 앞으로 빛의 요정을 잘 따르도록! 틸틸과 미틸은 오늘 밤 돌아가신 할머니, 할아버지를 만나러 간다. 너희들은 아이들이 돌아올 때까지 빈틈없이 여행 준비를 하고 있어야 해!"

그러자 고양이가 두 손을 싹싹 비비며 말했다.

"바로, 제가 그 말을 하고 있었다니까요. 그런데 저 심술궂은 개가 계속 방해를 했답니다."

"뭐라고? 이놈의 고양이가!"

개가 고양이에게 덤벼들자, 틸틸이 개를 달랬다.

"틸로, 진정해. 자꾸 그러면 안 데리고 갈 거야."

"저놈을 가만두면 안 돼요. 앞으로 무슨 일을 꾸밀지 모른다고요."

개는 끝까지 고양이의 음모를 밝히려 했지만 틸틸이 무섭게 소리를 지르는 바람에 입을 다물 수밖에 없었다.

"싸움은 그만들 해. 빵의 요정아, 틸틸에게 새장을 주어라. 할머니와 할아버지가 계신 추억의 나라에 파랑새가 있을지도 모르니 말이다. 기회란 언제 어디서 찾아올지 모르잖니?"

별똥별을 보고
소원을 빌면 이루어진다는
말 있지? 그래서 항상
마음 속에 소원을 담고
있어야 해. 언제 별똥별을
볼지 모르니까.

요술쟁이 할머니의 말에 빵의 요정은 마지못해 틸틸에게 새장을 건넸다.

"자, 그럼 가 볼까? 틸틸, 미틸은 저 쪽으로 가면 된단다."

요술쟁이 할머니는 요정들을 이끌고 나가려 했다. 이제 둘만 남는다는 생각에 조금 무서워진 틸틸이 할머니의 등에 대고 외쳤다.

"정말 우리끼리만 가는 건가요?"

"그렇단다."

요술쟁이 할머니는 틸틸을 안심시키려고 환하게 웃었다.

"하지만 돌아가셨는데 어떻게 만날 수 있죠?"

"너희들의 추억 속에 살아 계시기 때문이란다. 추억 속에서는 죽은 사람도 산 사람처럼 행복하게 살고 있거든."

"어느 쪽으로 가면 되나요?"

"그 쪽으로 쭉 가면 '추억의 나라'라는 팻말이 붙은 나무가 보일 거야. 그런데 9시까지는 꼭 돌아와야 한다. 잊지 말고 잘 다녀오렴."

요술쟁이 할머니는 요정들과 함께 사라졌다. 틸틸과 미틸은 요술쟁이 할머니가 일러 준 길로 발을 내딛었다.

3장
추억의 나라

어느 새 주위에 짙은 안개가 자욱하게 끼어 있었다. 틸틸과 미틸은 주위를 둘러보았지만 아무것도 보이지 않았다. 희뿌연 빛이 비쳤다. 아이들은 지푸라기라도 잡는 심정으로 그 빛을 향해 조심스럽게 나아갔다. 그 곳에는 커다란 떡갈나무가 우뚝 서 있었다.

"할머니가 말한 그 나무인가 봐."

틸틸은 안도의 한숨을 내뱉었다.

"와, 정말! 팻말이 있어."

미틸은 보물이라도 발견한 듯 기뻐했다. 그러나 짙은 안개 때문에 팻말의 글자를 읽을 수 없었다. 하는 수 없이

형만 한 아우 없다더니,
틸틸이 아주 의젓하게
미틸을 이끌어 주네.

틸틸은 나무 위로 올라갔다.

"'추억의 나라'라고 써 있어. 저 쪽으로 가라고 표시된 화살표도 있는데?"

틸틸이 나무에서 내려오며 미틸에게 말했다.

"오빠, 할머니, 할아버지는 어디 계실까?"

"화살표를 따라가 보자."

"아무것도 안 보이는데……. 난 무서워. 집에 갈래."

처마란, 지붕 밖으로
살짝 나와 있는 부분을 말해.
아마 한 번쯤 처마 밑에서
비를 피한 경험이 있을걸?

"울지 마. 미틸, 저기 저 쪽을 봐, 안개가 걷히기 시작하잖아."

틸틸은 미틸의 손을 잡고 화살표가 가리키는 방향方向을 따라 조심스럽게 걷기 시작했다. 곧 주변이 밝아 오더니 지붕이 덩굴로 덮인 아담한 오두막집이 보였다. 그 집은 창문과 현관이 모두 열려 있었고 처마 밑

방향(方向) : 어떤 방위(方位)를 향한 쪽.

에는 벌통이 두세 개 놓여 있었다. 창틀에 놓인 화분들에는 꽃이 활짝 피어 있었다. 그 옆 새장에는 개똥지빠귀가 곤히 잠들어 있었다. 현관 옆의 긴 의자에는 늙은 부부가 자고 있었는데, 그들은 바로 틸틸과 미틸의 할머니, 할아버지였다.

"할머니, 할아버지다!"

틸틸이 두 사람을 보고 외쳤다.

"정말이야. 우리 할머니, 할아버지야."

미틸은 신기한 나머지 손뼉을 치며 말했다. 얼마 지나지 않아 할머니가 기지개를 켜며 잠에서 깨어나더니 할아버지도 조용히 눈을 떴다.

"여보, 오늘은 웬일인지 틸틸과 미틸이 찾아올 것 같아요."

"나도 그런 느낌이 드는군. 아마 아이들이 우리 생각을 하고 있나 봐. 아님, 아이들이 많이 보고 싶어서 이런 생각이 드는 건가?"

틸틸과 미틸은 할머니와 할아버지에게 달려갔다.

"할머니, 할아버지! 보세요, 저희들이 왔어요!"

그 모습을 보고 할머니와 할아버지는 자리에서 벌떡 일어났다.

"틸틸, 미틸! 드디어 왔구나. 너희들이 올 줄 알았다."

할머니와 할아버지는 아이들을 품에 꼭 안아 주었다.

"많이 컸구나, 틸틸."

할머니가 틸틸을 지긋이 바라보았다.

"어디 보자! 우리 미틸은 머릿결이 참 곱구나. 눈은 하늘에서 별을 따다 박아 놓은 것 같고."

할아버지가 미틸의 머리를 쓰다듬으며 말했다. 할머니는 두 아이를 번갈아 바라보더니 뺨에 입을 맞췄다.

할아버지, 할머니가
손자랑 손녀를
귀여워하는 건
세계 어디나 똑같아.

"어쩌면 이렇게 귀엽고 똑똑하게 생겼을까? 엄마가 매일 깨끗이 씻겨 주는 게로구나. 양말에 구멍 하나 뚫리지 않았어. 전에는 내가 늘 기워 주곤 했는데……. 그런데

틸틸, 미틸!
드디어 왔구나!
어이구, 녀석들.
이게 얼마 만이냐.
할머니,
할아버지!
저희들이 왔어요.
그 동안 안녕하셨어요?

서양에서는 해마다
11월 1일이 되면 성인의 영혼에
제사를 지낸대. 그 날을 기념하기 위해
10월 31일 밤을 '할로윈 데이(만성절)'로
정하고 귀신 복장, 호박등 들고 다니기,
가장 무도회 등을 하지.

왜 자주 찾아오지 않은 거니?"

할머니는 섭섭해하며 물었다.

"우리 힘으론 올 수 없는걸요. 오늘은 요술쟁이 할머니의 도움으로 올 수 있었어요."

"우린 여기서 언제나 너희들을 기다리고 있단다. 너희들을 언제 마지막으로 보았더라? 맞아, 만성절이었지. 만성절이었어."

할머니는 회상回想에 잠기며 허공을 응시했다.

"할머니, 우린 그 날 집에 있었어요. 둘 다 감기에 걸렸었거든요."

틸틸은 할머니의 말이 믿기지 않는다는 듯 고개를 갸우뚱했다.

"아니야, 너희들을 보았는걸. 그 날 우리 생각을 했었지?"

회상(回想) : 지난 일을 돌이켜 생각함.

"네, 했었어요."

"거 봐라. 누군가 우리를 생각하면 바로 우리는 잠에서 깨어나 그 사람을 만나러 간단다."

틸틸과 미틸은 깜짝 놀라서 눈이 휘둥그레졌다.

"생각만 하면 만날 수 있다고요?"

"그렇단다. 우린 너희들이 알고 있는 줄 알았는데……."

"전혀 몰랐어요."

할머니는 안타까워하며 할아버지를 돌아보았다.

"사람들은 이 사실을 모르나 봐요."

"살아 있는 사람들은 자기가 살고 있는 세계밖에 모르잖아."

틸틸은 할머니, 할아버지께 죄송한 마음이 들었다.

"그럼, 항상 주무시고 계신 거예요?"

"그렇단다. 하지만 누군가 우리를 생각해 주면 바로 눈을 뜨지."

"어? 그럼 진짜로 죽은 게 아니잖아요."

"바보 같은 소리! 세상에 모든 것들은 다 살아 있단다."

할아버지가 큰 소리로 말했다. 틸틸은 할아버지 앞에서 너무 함부로 말한 것 같아 송구스러웠다.

"할아버지, 여기가 좋으세요?"

"그럼, 너희들이 기도만 더 해 준다면 좋은 곳이지."

"하지만 아빠는 기도하지 말라고 하시는걸요."

할아버지는 갑자기 씁쓸한 표정을 지었다.

"기도를 하지 말라니! 기도는 지난 일을 돌이켜보는 중요한 일이란다."

틸틸은 할아버지와 할머니를 번갈아 쳐다보았다. 그러고는 곧 환하게 웃으며 말했다.

"그런데 두 분은 예전 그대로세요."

"그럼. 나이를 먹지 않으니까 변하지 않지. 하지만 너희들은 계속 무럭무럭 자라겠지?"

할아버지는 아이들이 그 동안 얼마나 자랐는지 궁금해서 아이들을 문기둥 앞으로 데리고 갔다. 문기둥에는 예전에 아이들의 키를 표시해 놓았던 선이 그어져 있었다. 아이들이 문기둥에 등을 바싹 붙이고 서자, 할아버지는 아이들 정수리에 손바닥을 대고 키를 쟀다.

정수리는 머리 위에 볼록하게 솟은 부분이야. 갓난아이 때는 그 부분이 팔딱팔딱 뛴다고 해. 신기하지?

"자, 똑바로 서 봐라. 틸틸, 한 뼘이나 더 컸구나. 미틸도 한 뼘 반이나 더 컸어."

틸틸은 모든 것이 꿈만 같았다. 그 무엇도 달라진 것이 없었다. 오래 전 부러뜨린 시곗바늘도, 벽의 낙서도 그대로였다.

"오빠, 여기 검은 개똥지빠귀도 그대로 있어!"

미틸이 새장을 발견하고는 크게 외쳤다.

"할머니, 이 새는 지금도 예쁜 소리를 내면서 우나요?"

미틸이 할머니에게 질문을 하자마자, 갑자기 개똥지빠귀가 아름다운 목소리를 내며 울었다.

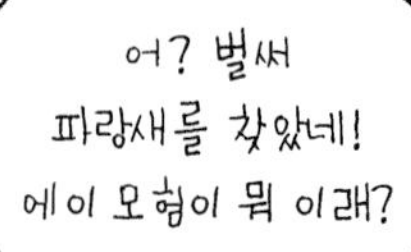

어? 벌써
파랑새를 찾았네!
에이 모험이 뭐 이래?

틸틸은 새장 안을 유심히 들여다보았다. 그런데 검은 개똥지빠귀의 깃털이 파란색으로 변해 보였다. 요술쟁이 할머니가 찾아오라는 파랑새가 바로 할아버지의 새장 속에 있었다.

"파랑새야, 파랑새! 할머니, 할아버지 저희에게 이 새를 주시면 안 돼요?"

"물론, 되고말고. 그렇지, 여보?"

"그럼요. 우리에게 새는 필요 없단다. 여기서 저 새는 잠만 자거든. 노래도 부르지 않는단다."

할머니, 할아버지의 허락許諾을 받은 틸틸은 가지고 왔던 새장에 새를 넣었다.

"정말 주시는 거예요?"

"근데 다른 세상에 가서도 살 수 있을지 모르겠구나."

할아버지는 조금 걱정이 되었다.

허락(許諾) : 청하고 바라는 바를 하도록 들어줌.

"그런데 동생들은 어디 있어요? 베릴륀 할머니가 여기에 오면 볼 수 있다고 했는데……."

틸틸의 말이 끝나기 무섭게 일곱 명의 아이들이 집 안에서 줄줄이 걸어 나왔다. 키가 큰 피에로부터 아직 덜 자란 막내 리케트까지! 도대체 얼마 만의 만남인지 몰랐다. 그들은 서로 끌어안고 입을 맞추며 소리를 질렀다.

"피에로! 로베르! 장, 너는 아직도 그 팽이를 가지고 노는구나. 마들렌, 피에레트, 폴린. 아, 그리고 막내 리케트까지 모두 그대로야!"

피에로, 장 등은
프랑스식 이름이야.
우리 나라의 철수,
영희처럼 프랑스에서
아주 흔한 이름이래.

틸틸과 미틸은 동생들을 더욱 꼭 껴안았다.

"여기서는 누구도 자라지 않는단다. 아무것도 변하지 않지."

형제들의 상봉相逢을 흐뭇하게 지켜보던 할아버지가 말했다.

상봉(相逢) : 서로 만남.

우리 막내도
그대로네!
형아,
누나…….
언니, 많이
보고 싶었어?
응. 미틸 언니랑
틸틸 오빠, 그리고
엄마 아빠 보고 싶었쪄.

틸틸은 동생들이 모두 건강해 보여서 기분이 좋았다. 그러다 문득 시간이 너무 많이 흐르지 않았나 걱정이 되었다. 때마침 시계가 여덟 시를 알렸다.

"9시까지는 돌아가야 해요. 베릴륀 할머니의 명령이에요."

틸틸은 갑자기 마음이 다급해졌다.

"그렇게 빨리? 그냥은 섭섭해서 못 보낸다. 저녁이라도 먹고 가려무나."

할머니는 또다시 헤어진다는 것이 몹시 섭섭했다.

아이들은 할머니를 도와서 수프를 담고, 접시를 돌렸다. 이윽고 식사 준비가 끝나자, 모두들 식탁에 빙 둘러앉았다. 오랜만에 만난 가족들은 모두 즐겁게 웃고 떠들며 맛있게 식사를 했다.

오랜만에 만난
사람들끼리 함께
밥을 먹는 건
서양도 마찬가지구나.

분위기가 한창 무르익을 무렵, 시계가 8시 30분을 알렸다. 틸틸은 숟가락을 놓고 얼른 자리에서 일어났다.

"미틸, 서둘러! 가야 할 시간이야!"

"벌써? 할머니, 저희 이제 돌아가야 돼요."

"뭐가 그렇게 급하니? 오랜만에 만났는데 좀 더 있다 가지 않고……."

할머니가 미틸의 손을 꼭 붙잡으며 말했다.

"안 돼요. 베릴륀 할머니와 약속했어요."

맞아. 하지만 이제는
언제든 만날 수 있잖아.
할머니, 할아버지가 추억 속에
살고 있는 걸 알았으니까.

틸틸은 새장을 집어 들고 할머니, 할아버지, 동생들과 일일이 입을 맞추며 작별 인사를 나눴다. 미틸도 헤어지는 것이 아쉬워서 오랫동안 동생들의 손을 놓지 못했다.

"동생들아, 잘 있어! 자주 올게요, 할머니, 할아버지!"

할머니가 손수건으로 눈물을 훔쳤다.

"그래, 우리의 즐거움은 너희들을 보는 것뿐이란다."

할아버지는 아쉬움이 가득한 표정을 지어 보이며 잘 가라고 손짓을 했다. 틸틸과 미틸이 떠난 후에도 할머니, 할아버지, 동생들은 그 자리에 박제剝製된 듯 서서 오랫동안 손수건을 흔들었다.

틸틸과 미틸은 어느 새 팻말이 붙어 있는 떡갈나무 앞에 서 있었다. 그 곳에는, 처음 추억의 나라에 왔을 때처럼 짙은 안개가 깔려 있었다. 더 이상 할머니와 할아버지의 작은 집은 보이지 않았다.

빛의 요정을 찾아 주위를 두리번거리던 틸틸은 새장의 새를 들여다보고, 깜짝 놀라 소리를 질렀다. 파랑새가 죽어서 새까맣게 변해 있는 게 아닌가. 심한 충격을 받은 틸틸은 그만 새장을 떨어뜨렸고, 미틸은 무서워서 오빠의 손을 꼭 잡았다.

박제(剝製) : 동물의 살과 내장을 발라 내고 그 안에 솜이나 심을 넣어 꿰맨 다음, 방부제로 처리하여, 살아 있을 때와 같은 모양으로 만드는 일. 또는 그 표본.

4장
밤의 궁전

현무암은 까맣고
구멍이 숭숭 뚫린 돌이야.
화산 활동으로 만들어진 돌로
제주도에서 흔히 볼 수 있지.

파랑새를 찾으러 떠난 틸틸과 미틸은 이번에는 밤의 궁전으로 향했다.

밤의 궁전은 육중肉重한 금속들로 둘러싸여 있어 마치 무덤 속처럼 서늘하고 어두웠다. 장엄하고 넓은 방에는 황금과 흑단나무로 장식된 대리석 기둥이 늘어서 있었다. 그리고 방을 가득 메운 까만 현무암 층계가 3층까지 이어져 있었다.

육중(肉重) : 덩치나 생김새 따위가 투박하고 무거움.

두 번째 층계에 밤의 여왕이 앉아 있었다. 그녀는 매우 아름다웠으며 길게 늘어진 검은 옷을 입고 있었다. 양 옆에는 거의 벗은 차림의 아이와 해맑게 미소를 지으며 잠들어 있는 아이가 앉아 있었다.

밤의 궁전의 적막寂寞을 깨고 고양이가 헐레벌떡 뛰어 들어왔다.

"큰일났어요! 이제 우리는 끝장날지도 몰라요."

고양이의 얼굴은 새파랗게 질려 있었다. 게다가 수염은 온통 흙투성이였다. 밤의 여왕은 얼굴을 잔뜩 찡그리며 말했다.

"도대체 그게 무슨 말이냐?"

"요술 모자를 쓴 아이들이 파랑새를 찾으려고 이 곳으로 오고 있어요."

"흠, 아직 파랑새를 찾지 못한 모양이군."

밤의 여왕은 한편으로는 안심이 되었지만 틸틸 일행이

적막(寂寞) : 고요하고 쓸쓸함.

오고 있다는 소리에 걱정이 되었다.

"이변이 없는 한 그 아이들은 파랑새를 찾을 거예요. 빛의 요정이 그들을 돕고 있거든요. 이 곳에 파랑새가 있다는 사실을 알고 있는 빛의 요정은 여기에 들어오지는 못하지만, 아이들에게 파랑새 찾는 방법을 가르쳐 줄 거예요. 아이들은 사람이니까, 여왕님도 아이들이 비밀의 문 안을 보여 달라고 하면 거절拒絶할 수 없으시잖아요? 이 일을 어쩌죠?"

"도대체 인간들이란……. 뭐든지 다 알아 내야 직성이 풀리는 모양이구나. 내 비밀을 절반 가까이 파헤치고서 무슨 욕심을 더 부리겠다는 거지. 이제는 '무서움'도 사람이 무섭다며 방구석에 콕 틀어박혀 벌벌 떨고, '병'이란 놈도 골골대고 꼼짝 못하고, '유령'조차 삼십육계 줄행랑을 치니……."

밤의 여왕은 사람이라면 진절머리가 나는 모양이었다.

거절(拒絶) : 남의 제안이나 요구 따위를 받아들이지 아니하고 물리침.

꼬마 녀석들이
밤의 궁전으로
오고 있다고?
예, 여왕님!
그 아이들은 밤의
궁전에 있는 파랑새를
찾고 말 거예요.

곧 아이들과 빵의 요정, 사탕의 요정, 개가 밤의 궁전 안으로 들어왔다. 고양이는 얼른 표정을 바꾸고 틸틸에게 달려가 빙긋 웃으며 말했다.

어우~! 고양이 너,
완전 두 얼굴의
고양이로구나!
태도가 금세 바뀌네.

"도련님, 무사히 오셨군요. 도련님이 오신다는 소식을 밤의 여왕님께 전해 드리고 있던 참이었어요."

틸틸은 고양이의 머리를 쓰다듬어 주고는 밤의 여왕에게 다가가 정중히 인사를 했다.

"밤의 여왕님, 안녕하세요?"

밤의 여왕은 인사를 받기는커녕 오히려 버럭 화를 냈다.

"어떻게 그런 인사를 할 수 있니? '좋은 밤이에요.' 라든가, '밤늦게 죄송합니다.' 라고 하면 좋잖아!"

틸틸은 의도意圖하지 않게 밤의 여왕의 심기를 건드린 것 같아 어쩔 줄 몰라 했다.

의도(意圖) : 무엇을 하고자 하는 생각이나 계획.

"죄송해요. 그런데 옆에 있는 아이들은 여왕님의 아이들인가요?"

밤의 여왕은 틸틸과 미틸을 번갈아 쳐다보더니 말했다.

"그래. 얘는 첫째 '잠꾸러기'고, 얘는 '잠꾸러기'의 여동생이야. 이름은 말해 봤자 기분만 상할 테니까 생략하도록 하마. 그런데 파랑새를 찾고 있다고? 고양이에게 들었다. 다른 건 몰라도 여기에 파랑새가 없다는 것만은 확실하지. 나도 아직 본 적이 없거든."

"빛의 요정이 있다고 했어요. 제가 찾아볼 테니까 열쇠 좀 빌려 주세요."

틸틸이 당차게 얘기했다.

"난 자연의 비밀을 지켜야 하는 책임이 있어. 아무에게나 열쇠를 줄 수 없다."

"하지만 사람이 부탁하는 것은 거절하지 못할 텐데요. 빛의 요정이 가르쳐 주었어요."

밤의 여왕은 분한 마음을 애써 감추느라, 주먹을 꼭 쥐었다. 그러자 개가 나서며 말했다.

"도련님, 제가 힘으로 빼앗을까요?"

"안 돼, 틸로! 가만히 있어."

틸틸이 개의 어깨를 붙잡으며 말했다.

"열쇠를 빌리고 싶다면 요술쟁이 할머니가 보냈다는 증표證票를 보여 다오."

틸틸은 쓰고 있는 모자의 다이아몬드를 가리켰다. 밤의 여왕은 더 이상 버틸 수 없다는 것을 깨닫고 틸틸에게 열쇠를 건네 주었다.

"이 열쇠 하나로 이 안의 모든 문을 열 수 있다. 하지만 '불행' 을 만나지 않도록 조심해라. 그 때는 나도 도와 줄 수 없으니까."

밤의 여왕은 틸틸이 '불행' 이라는 말에 겁을 먹기 바랐다. 그러나 틸틸은 아랑곳하지 않고 첫 번째 계단을 올라

증표(證票) : 증거로 주는 표. 증거가 될 만한 표.

청동 문 앞에 섰다. 그러고는 문을 열기 전에 빵의 요정에게 파랑새를 담을 새장을 챙기라고 말했다.

빵의 요정은 이를 딱딱 부딪치며 떨었고, 미틸은 무서움을 견디지 못해 울음을 터뜨렸다. 사탕 요정은 미틸을 달래며 자신의 손가락을 꺾어 보였다. 사탕 요정의 손가락은 맛있는 얼음사탕이었다. 개는 만약의 경우에 대비해 틸틸 곁에 바짝 붙어 섰다.

행복이 있으니까
불행도 있나 봐.
불행을 딛고, 얻은
행복이 더 빛나겠지?

'찰칵' 열쇠 돌아가는 소리와 함께 문이 열리자, 순식간에 후다닥 유령들이 튀어나왔다. 빵의 요정은 깜짝 놀라 새장을 집어던지고 도망쳤다.

"빨리 문을 닫아, 빨리! 모두 뛰쳐나오면 잡아넣기 힘들어진다고!"

밤의 여왕이 다급히 소리쳤다. 그러고는 채찍을 휘두르며 유령들을 다시 동굴에 몰아넣었다. 개도 밤의 여왕을 도왔다. 밤의 여왕은 결국 동굴을 빠져 나온 세 유령들의

빨리 닫아라, 빨리!
다 나오면 집어넣기
힘들단 말이다!
탈출, 성공!
으으으,
힘들어.
오매,
깜짝이야!

멱살을 잡아 동굴 속에 처넣었다. 개의 요정이 잡은 두 명의 유령도 마찬가지 신세가 되었다. 밤의 여왕은 유령들이 다시 나오지 못하도록 문을 단단히 잠갔다.

멱살이란 사람의
목 아래 살이나
목 아래 여민
옷깃을 말해.

틸틸은 다음 문 앞으로 갔다.

"이 안엔 뭐가 있나요?"

"뭐가 있든 열어 볼 거 아니냐. 분명한 건 파랑새는 없다는 거지. 마음껏 열어 봐라. 그 안에는 온갖 '병'이 있으니까."

밤의 여왕은 냉소冷笑를 던지며 말했다. 틸틸은 주저 없이 문을 열어젖혔다. 그런데 어떻게 된 일인지 동굴 안이 너무 잠잠했다. 틸틸은 궁금해서 안으로 들어가 보았다. 그 안에는 병들이 축 늘어져 널브러져 있었고 동굴 안 어디에도 파랑새는 없었다.

틸틸이 실망하고 있는 사이, 갑자기 잠옷을 입은 작은

냉소(冷笑) : 쌀쌀한 태도로 비웃음.

유령, 병, 전쟁 모두
저 안에서 못 나오게
영원히 꽁꽁
가둬 놓았으면 좋겠어.

꼬마 하나가 동굴에서 빠져 나와 촐싹거리며 방 안을 이리저리 뛰어다녔다.

"코감기, 이놈의 자식! 나가려면 조금 더 있어야 돼. 봄이 될 때까지 기다려라. 어서 들어가라, 어서!"

밤의 여왕은 코감기의 엉덩이를 찰싹 때리고 동굴 속으로 밀어넣었다.

작은 소란이 정리되자 틸틸은 세 번째 문 앞으로 갔다.

"이 안에는 뭐가 있지요?"

"그 안에는 '전쟁'이 들어 있다. 그러니 조심해야 해! 하나라도 튀어나왔다가는 무슨 일이 벌어질지 모른다."

밤의 여왕은 엄포를 놓으며 요정들에게 문을 누르고 있으라고 지시했다.

틸틸은 조심스럽게 문을 열고 살짝 안을 들여다보더니 급히 문을 닫았다. 틸틸의 얼굴이 새하얗게 질렸다.

맞아. 그런 것들이
없어지면 사람들은
더 행복하고 평화롭게
살 텐데 말이야.

"힘껏 문을 밀어! 전쟁이 나를 쏘아보았어. 곧 한꺼번에 몰려 나올 거야. 빨리 문을 잠가!"

틸틸이 다급하게 소리치자 모두 등으로 힘껏 문을 밀었다. 구석에서 벌벌 떨고 있던 빵의 요정도 밤의 여왕의 호통에 어쩔 수 없이 뛰어나와 힘을 보탰다. 밤의 여왕은 재빨리 문을 걸어 잠갔다.

"눈으로 확인하니까 속이 시원하니? 여기에 파랑새가 없다고 말했을 때 들었으면 좋았잖니. 이제 그만둬라."

"아니요, 아직 열어 보지 않은 문이 남아 있는걸요. 빛의 요정이 모든 방을 다 살펴보라고 했어요."

"빛의 요정이? 흥, 그럼 자기가 들어와서 열어 볼 일이지. 겁쟁이 같으니라고."

밤의 여왕은 빛의 요정이 얄미워서 견딜 수 없었다. 틸틸은 마음을 가다듬고 다음 문 앞으로 갔다.

"이 방에는 뭐가 있어요?"

"'그림자'와 '무서움'."

틸틸은 혹시나 하는 마음에 문을 반쯤만 열고 조심스럽

게 안을 들여다보았다. 그 안에는 밤의 여왕 말대로 그림자와 무서움뿐이었다. 그림자는 검은 베일을 쓰고 있었고 두려움은 초록색 베일을 쓰고 있었다. 잔뜩 겁에 질린 표정을 짓고 있는 그들은 겨우 용기를 내어 밖으로 나오려고 했다. 그러나 틸틸이 다가가자 안으로 더 깊숙이 도망가 버렸다. 그 곳에도 파랑새가 없다는 것을 확인한 틸틸은 문을 잠갔다. 틸틸은 정해진 순서順序를 밟듯, 다음 문으로 걸어갔다.

아, 파랑새는
도대체 어디 있는 거야?
이젠 문만 봐도 겁이나.

"이 무시무시하게 생긴 청동 문 안에는 뭐가 들어 있나요?"

"정신 바짝 차려라. 언제든 문을 닫을 수 있게 마음의 준비를 하는 게 좋을 거다."

밤의 여왕의 말에 틸틸은 잔뜩 긴장이 되었지만 용기를 내어 문을 열었다. 문틈으로 고개를 넣은 틸틸은 순간적으로 고개를 빼냈다. 틸틸은

순서(順序) : 정하여져 있는 차례.

얼굴이 새파랗게 질려 두려움에 고개를 절레절레 흔들며 말했다.

"저, 저 안에……, 눈이 없는 덩치 큰 괴물이 있어요! 순식간에 제 앞으로 다가와 저를 덮치려고 했어요."

"바로 '침묵'이다. 항상 문 앞을 지키고 있지. 굉장히 무서운 놈이야. 여기서 포기하는 게 좋겠다. 앞으로 무슨 일을 더 당할지 모르니까."

밤의 여왕은 드디어 틸틸이 포기할 것이라 기대하며 회심會心의 미소를 지었다. 그러나 틸틸은 조용히 다음 문으로 걸어갔다. 밤의 여왕은 하도 기가 막혀서 아무 말도 하지 못했다.

"이 문이 가장 크네요."

틸틸은 어떤 일이 발생하더라도 결심을 굽히지 않을 기세였다.

"그 문만은 절대 열어서는 안 된다. 난 너희가 다치는

회심(會心) : 마음에 흐뭇하게 들어맞음. 또는 그러한 마음.

틸틸처럼
용기가 있다면
호랑이를 만나도
살아남겠어.

건 원하지 않아. 그 문을 열면 너희들이 죽을 지도 몰라. 그래도 열어야겠니?"

밤의 여왕은 아이들을 진심으로 걱정하는 척했다.

그 말에 틸틸은 마음이 조금 흔들렸지만 이제 와서 포기할 수 없었다.

미틸은 겁에 질려 울먹이는 목소리로 틸틸을 말렸다. 빵의 요정과 고양이도 마찬가지였다. 그러나 개만큼은 무서움을 꾹 참으면서 틸틸을 격려했다.

틸틸은 청동 문에 열쇠를 끼워 넣고 문을 열었다. 그러자 모두들 숨을 곳을 찾아 정신 없이 달아났다. 마침내 육중한 문이 양쪽으로 열렸다. 그 안에는 달빛에 반짝이고 있는 아름다운 꽃밭이 끝없이 펼쳐져 있었다. 그리고 그 위로 무수히 많은 파랑새들이 날아다니고 있었다.

아름다운 광경에 틸틸은 한동안 입을 다물지 못한 채 그 자리에 서 있었다. 그러나 곧 여기저기에 숨어 있는 일행들에게 소리쳤다.

"파랑새야, 여기 파랑새가 있어!"

밤의 여왕과 고양이를 빼고 모두 정신 없이 꽃밭으로 달려갔다. 다들 이리저리 뛰어다니며 손에 잡히는 대로 마구 파랑새를 잡았다.

한참 시간이 흘러 그들이 꽃밭에서 빠져 나올 때는 각자 파랑새를 잔뜩 안고 있었다. 그들은 신이 나서 밤의 궁전을 빠져 나갔다. 빵과 사탕의 요정은 파랑새를 잡지 않고 빈손으로 일행의 뒤를 쫓았다.

밤의 여왕은 근심스러운 표정으로 고양이를 보았다.

"진짜 파랑새가 잡혔느냐?"

밤의 여왕 곁을 떠나지 않고 있던 고양이가 대답했다.

"진짜 파랑새는 달빛 속에 있었어요. 아이들의 손이 닿지 않는 달빛 속에요."

밤의 여왕은 안도의 한숨을 쉬었다.

파랑새를 잡았다고 믿고 있는 틸틸 일행은 빛의 요정을 만났다.

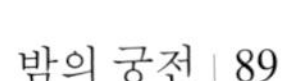

나 잡아 봐~라!
파랑새,
이리 와~!
드디어 찾았어,
파랑새를 찾았어!

오빠, 여긴
꼭 천국 같아!
예쁜 꽃만큼이나
파랑새가 많아!

"파랑새를 잡았나요?"

"이것 보세요! 굉장히 많이 잡았어요. 자요!"

틸틸은 빛의 요정에게 파랑새를 내밀었다. 그러나 파랑새는 모두 죽어 있었다. 미틸이 잡은 것도, 틸로가 잡은 것도 마찬가지였다. 틸틸은 참을 수 없이 억울하고 분했다. 결국 틸틸은 파랑새들을 땅바닥에 내팽개치고는 두 팔로 머리를 감싸고 주저앉아 울음을 터뜨렸다.

"흑흑, 대체 누가 파랑새를 죽였지?"

"울지 말아요. 햇빛 속에서도 살 수 있는 진짜 파랑새를 다시 찾으면 되잖아요."

빛의 요정은 다정한 목소리로 위로했다.

노력을 했어도
결과가 좋지 않다면
틸틸처럼 속이
상할 수밖에 없겠지.

5장
숲 속에서

밤이 되자, 숲 속에 환한 달빛이 비쳤다. 고양이는 무슨 꿍꿍이인지 이번에도 일행보다 먼저 나무들을 찾아가 인사를 건넸다.

"다들 안녕하세요?"

"안녕하세요?"

나무들도 나뭇잎을 흔들며 인사를 했다.

"급히 전할 소식이 있어요. 여러분을 괴롭히던 나무꾼의 아이들이 이리로 오고 있답니다. 여러분이 꼭꼭 감추어 놓은 파랑새를 찾기 위해서지요."

고양이의 말에 나무들이 술렁였다.

"본론을 애기하죠. 지금은 시간이 없으니까요. 그러니까 제 얘기는 이참에 아이들을 없애 버리자는 겁니다. 동물들과 힘을 합치면 문제 없을 겁니다. 동물들이 모이도록 토끼에게 북을 쳐 달라고 부탁해 놓았답니다."

멀리서 북 소리가 들려왔다. 그 때 틸틸과 미틸, 개가 숲에 도착到着했다. 고양이는 틸틸과 미틸에게 반갑게 인사를 했다. 그러고는 열심히 알랑방귀를 뀌어 댔다.

"어서 오세요. 숲 속의 나무들과 동물들에게 도련님이 오신다는 소식을 전하고 있었어요. 곧 동물들이 모일 거랍니다. 그런데 도련님 왜 개를 데리고 오셨어요! 개는 동물들하고 사이가 좋지 않아요. 나무들도 개라면 기겁을 한다고요. 개 때문에 일을 망치면 어쩌시려고……."

도착(到着) : 목적지에 다다름.

틸틸은 고양이의 말에 일리一理가 있다고 생각했다. 그래서 개를 숲 밖으로 돌려보내려 했지만 미틸이 울면서 부탁했다.

"오빠, 난 틸로가 없으면 무서워. 틸로를 보내지 마."

미틸의 말에 개가 좋아서 껑충껑충 뛰면서 미틸의 얼굴을 구석구석 핥았다. 고양이는 개를 보내지 못해 아쉬웠다. 하지만 이내 체념하고 틸틸에게 말했다.

"시간이 없어요. 어서 다이아몬드를 돌리세요."

틸틸은 조심스레 다이아몬드를 돌렸다. 그러자 '사사삭' 나뭇잎이 흔들리는 소리가 나더니 곧 나무 줄기에서 나무 요정들이 나왔다.

가장 먼저 늘씬하고 멋진 미루나무가 수다스럽게 떠들어 댔다.

"오오오! 사람이야, 사람! 어디에 사는 누구지? 아아, 궁금하다, 궁금해! 누군지 모르시겠어요, 참피나무 아

일리(一理) : 어떤 면에서 그런데로 타당하다고 생각되는 이치.

미루나무는
버드나무과에 속해.
원산지가 미국이어서
'미루'라는 이름이 붙었단다.

저씨?"

"글쎄다. 처음 보는 아이들인데……."

점잖고 인상 좋은 참피나무가 대답했다.

이번에는 밤나무가 알이 하나뿐인 안경을 고쳐 쓰며 입을 열었다.

"음, 행색을 보니, 시골의 가난한 집 아이들인 것 같군."

나무들이 어수선하게 각자의 의견을 말하고 있는 동안, 떡갈나무 요정이 다가왔다. 주름이 자글자글한 떡갈나무 요정은 도저히 나이를 추측할 수 없을 정도로 늙어 보였다. 더부살이나무로 만든 관에다가 이끼로 아랫단을 장식한 초록색 가운을 입고 있었다. 하얗고 숱 많은 턱수염은 바람에 휘날렸다. 떡갈나무 요정은 한 손은 지팡이에, 다른 한 손은 젊은 떡갈나무

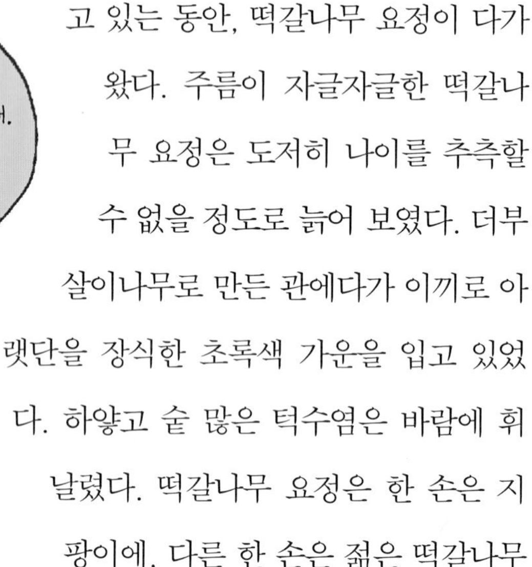
참피나무는
가볍고 부드러워서
주로 악기를 만드는 데 쓰인대.
우리가 쓰는 성냥도
참피나무를 요렇게
잘라서…….

에 의지依支하여 걷고 있었다. 그런데 떡갈나무 요정의 어깨 위에 작은 파랑새가 한 마리 앉아 있었다.

"아, 파랑새다! 그 파랑새를 저한테 주시면 안 되나요?"

틸틸이 파랑새에 정신이 팔려 말했다.

"저 분은 나무들의 왕 떡갈나무 대왕이에요. 우선 모자를 벗고 정중히 인사부터 하세요."

고양이가 틸틸에게 넌지시 말했다.

"너는 누구냐?"

떡갈나무 요정이 물었다.

"저는 틸틸이라고 합니다. 그 파랑새가 꼭 필요해요."

"네가 나무꾼의 아들, 틸틸이라고?"

"네, 맞아요."

"네 아버지는 오랫동안 우리를 괴롭혔어. 내 아이들 500명, 조상님들 475명, 형제 200명, 며느리 230명, 그리고 손자 손녀 12,000명 모두 네 아버지가 베어 버렸다."

의지(依支) : 다른 것에 몸을 기댐.

네 아버지가
내 가족을
얼마나 많이
죽였는지 알아?
죄송하게
생각해요!
하지만 나무를
베지 않으면 우린
살 수 없어요.
으르렁

"하지만 나무를 베어다 팔지 않으면 우리는 살 수 없는걸요."

"그런데 왜 우리의 영혼을 불러 낸 거지?"

"나무 여러분들이 파랑새가 있는 곳을 알고 있다고 고양이가 말해 줬거든요."

"그래, 알고 있어. 파랑새는 행복의 비밀을 간직하고 있는 소중한 새지. 우리를 더 괴롭히려고 파랑새를 가져가려는 게지?"

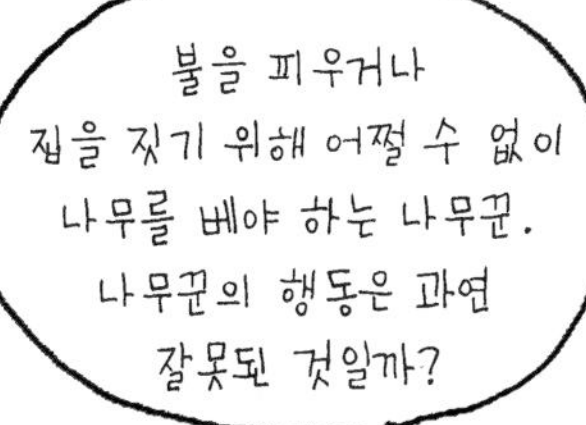

불을 피우거나
집을 짓기 위해 어쩔 수 없이
나무를 베야 하는 나무꾼.
나무꾼의 행동은 과연
잘못된 것일까?

"절대 아니에요. 단지 요술쟁이 베릴륀 할머니의 아픈 딸을 위해서 필요할 뿐이에요."

틸틸이 솔직히 말했다.

한편에서는 토끼, 황소, 암소, 이리, 염소, 돼지, 닭, 당나귀, 곰 등의 요정들이 아이들을 없앨 방법을 상의하고 있었다.

"나뭇꾼의 아이들은 파랑새를 찾고 있어. 요술 모자를 갖고 있으니 파랑새를 찾아 낼지도 몰라. 우리의 비밀이

이에는 이,
눈에는 눈이라고!
나무들도 나무꾼이 했던 거랑
똑같이 아이들을
없애려고 하네. 위험해!

탄로綻露 나기 전에 어서 저 아이들을 없애야 해."

떡갈나무 요정이 말하자, 나무들과 동물들이 앞다투어 의견을 내놓았다. 그들은 아이들이 알지 못하는 자신들만의 언어를 사용했다. 옆에서 지켜보는 틸틸은 답답할 뿐이었다.

틸틸의 그런 심정을 알아차린 개는 떡갈나무 대왕의 둘레를 빙빙 돌며 으르렁거렸다.

"무슨 얘기를 하고 있는 거야? 내 날카로운 이빨이 안 보이냐! 어서 말하지 못해!"

개 때문에 떡갈나무 요정은 더욱 화가 났다.

"저 개를 쫓아 버려라!"

다른 나무들도 기다렸다는 듯 개를 쫓아 내라고 소리쳤다. 눈치 빠른 고양이는 잽싸게 틸틸에게 속삭였다.

"도련님, 개 때문에 모두 화가 났어요. 이러다가 일이

탄로(綻露) : 비밀 따위가 드러남.

잘못될 수도 있겠어요."

틸틸은 오랫동안 망설이다 개에게 말했다.

"틸로, 넌 저리 피해 있는 게 좋겠어."

그러나 개는 틸틸만 두고 떠날 수 없었다. 개는 떼를 쓰며 남아 있겠다고 고래고래 소리를 질렀다. 틸틸은 담쟁이덩굴에게 도움을 청할 수밖에 없었다.

큰일을
하기 위해서는
화를 참을 줄도
알아야 해.

"담쟁이덩굴님, 잠시만 틸로를 묶어 주시겠어요?"

개는 담쟁이덩굴에 묶이지 않으려고 몸부림을 쳤다. 하지만 결국 틸틸의 명령에 복종할 수밖에 없었다.

"도련님, 지금 모두들 도련님을 해치려고 계략을 꾸미고 있어요. 조심하세요. 언제 저들이 도련님을 해칠지 모르니까요."

담쟁이덩굴은 개를 칭칭 감은 뒤, 멀리 떨어진 곳에 데려다 놓았다.

이구동성이란
여러 사람이 하나같이
똑같은 말을
한다는 뜻!
Zzz

"자, 훼방꾼이 사라졌으니까 저 아이들을 어떻게 없앨지 말해 봐."

다시 회의가 시작되자, 나무와 동물들은 이구동성으로 말했다.

"생각할 것도 없습니다. 죽입시다! 지금 당장!"

틸틸은 갑자기 감정이 격양激揚된 나무와 동물들의 목소리를 듣고 멀뚱히 쳐다보았다.

"봄이 늦게 온다고 다들 짜증을 내는 거예요. 일이 잘 해결될 테니 걱정하지 마세요, 도련님."

고양이는 혹시 틸틸이 눈치라도 챌까 봐 이런저런 핑계를 댔다.

"확실한 방법이 있습니다. 제 뿔로 아이들의 배를 받아 버리는 거지요."

황소가 앞으로 나서며 말했다.

격양(激揚) : 감정이나 기운 따위가 세차게 일어남.

도련님,
나무들과 동물들이
우리를
해치려 한다구요!

"목을 매달 거라면 내 가지를 빌려 드릴게요."

황소의 말이 채 끝나기도 전에 너도밤나무가 말했다.

"난 목을 매달 줄을 제공하지요."

담쟁이덩굴이 줄을 휘휘 돌리며 말했다.

"관을 만들 수 있는 널빤지를 줄게요."

이번에는 전나무가 나섰다.

"가장 쉬운 방법은 아이들을 물에 빠뜨리는 거예요. 제가 확실히 처리할 수 있어요."

머리를 길게 늘어뜨린 버드나무도 빠질 수 없었다.

그 때 미틸을 주시하던 돼지가 작은 눈을 탐욕스럽게 굴리며 입맛을 다셨다.

"저 여자 아이부터 잡아먹어야지. 연하고 맛있을 거야."

돼지는 탐욕스럽게 미틸에게 달려들었다. 그러나 틸틸이 재빨리 미틸 앞을 가로막았다. 당황한 돼지는 주춤 뒤로 물러섰다.

"뭔가 분위기가 이상한데? 다들 왜 이러지?"

틸틸은 점점 뭔가 잘못 돌아가고 있다고 생각했지만 영문을 알 수 없었다.

"글쎄요, 저도 잘 모르겠는데요."

고양이는 능청스럽게 연기를 했고, 떡갈나무 요정은 계속 회의를 진행했다.

"이제 누가 이 아이들을 없앨 영예榮譽를 얻을지 정하도록 하자."

"그 영예는 당연히 떡갈나무 대왕님의 것이지요."

전나무가 말했다.

"난 너무 늙었다. 이젠 앞도 잘 안 보이고, 움직이는 것도 힘들지. 앞으로 우리 전체를 보살필 전나무, 자네가 적임자네."

"고맙습니다만, 대왕님. 저보다 훌륭한 자질을 가진 너도밤나무에게 영예를 돌리겠습니다."

영예(榮譽) : 영광스러운 명예.

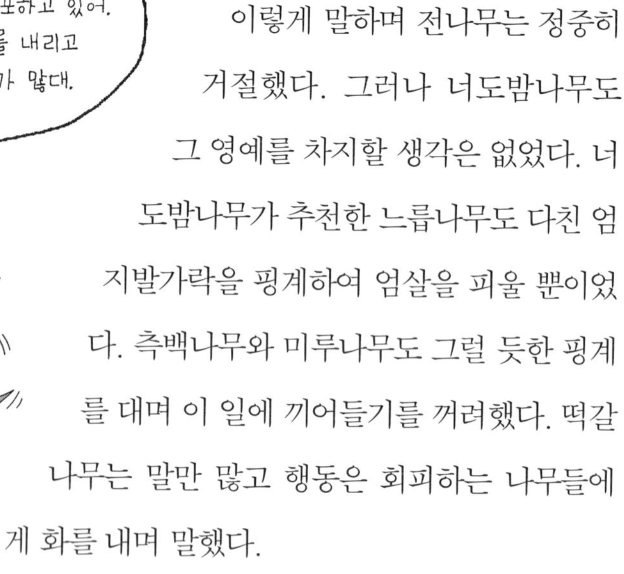

측백나무는 중국이 원산지로
한국, 일본 등지에 분포하고 있어.
절벽 바위에 뿌리를 내리고
숲을 이루는 경우가 많대.

이렇게 말하며 전나무는 정중히 거절했다. 그러나 너도밤나무도 그 영예를 차지할 생각은 없었다. 너도밤나무가 추천한 느릅나무도 다친 엄지발가락을 핑계하여 엄살을 피울 뿐이었다. 측백나무와 미루나무도 그럴 듯한 핑계를 대며 이 일에 끼어들기를 꺼려했다. 떡갈나무는 말만 많고 행동은 회피하는 나무들에게 화를 내며 말했다.

"못난 것들! 좋다. 그럼 내가 직접 하마. 나 혼자 조상님들의 원수를 갚겠다. 자, 간다!"

떡갈나무 요정은 지팡이를 짚고 절뚝거리며 틸틸에게 다가갔다.

순간, 위험을 감지感知한 틸틸은 재빨리 주머니에서 칼을 꺼내 들었다. 칼을 발견한 나무들은 겁을 먹고 소리를

감지(感知) : 직감적으로 느끼어 앎.

질렀다. 그들은 떡갈나무 요정을 붙잡고 설득했지만 소용 없었다. 떡갈나무 요정은 발버둥치며 나무들의 손을 뿌리쳤다.

"이거 놓아라. 꼬마가 뭐가 무섭다는 것이냐. 창피한 줄 알아라."

그 때 황소가 한 발 앞으로 나서며 말했다.

"다들 물러서요. 내가 이 뿔로 받아 버리겠어요."

황소가 커다란 콧구멍으로 뜨거운 김을 내뿜으며 미틸에게 다가갔다. 미틸은 무서워서 옴짝달싹 못 하고 덜덜 떨기만 했다.

"오빠, 무서워. 도망가자. 응?"

"무섭긴. 칼이 있으니까 걱정하지 마. 오빠 뒤에 잘 숨어 있어."

닭, 당나귀, 염소들이 한꺼번에 틸틸을 공격했다. 하지만 틸틸은 침착하게 칼자루를 꼭 쥐고 휘둘렀다.

"다들 왜 이러는 거야? 내가 뭘 잘못했다고?"

염소는 콧방귀를 끼며 대답했다.

힝! 몰라서 묻는 거냐?
너희가 우리 동물들을
모두 잡아먹었잖아.
그럼, 그럼.
어디 이 뜨거운 발굽
맛을 보아랏!
대체
왜 이러는 거냐?
이유를 알아야
해결을 하지.
오, 오빠.
무서워!

"몰라서 묻는 거냐? 내 남동생과 여동생, 아저씨와 아주머니, 할아버지와 할머니! 모두 너희 인간들이 잡아먹었어. 나도 너희들이 했던 거랑 똑같이 할 거야."

당나귀도 발굽을 들어 보이며 틸틸을 위협威脅했다. 그러나 곧 틸틸이 휘두르는 칼에 겁을 먹고 달아나고 말았다.

이번에는 동물들과 나무들이 한꺼번에 틸틸에게 달려들었다. 틸틸은 죽을힘을 다해 싸웠지만 혼자서는 역부족이었다.

"도와 줘! 틸로야, 틸레트!"

"도련님, 전 발을 삐어서 갈 수가 없어요!"

고양이 요정이 안전한 곳에 숨어 거짓말로 외쳤다. 그러나 주인의 다급한 목소리를 들은 개는 정신 없이 담쟁이덩굴을 끊기 시작

받은 대로
갚아 주는 것이
과연 옳은 일일까?
져 주는 것이 이기는
것이라는 말도 있잖아.

맞아. 어쩌면 진정한
복수는 상대방을 용서해
주는 건지도 몰라.

위협(威脅) : 으르고 협박함.

했다. 움직일 수 있게 되자, 개는 담쟁이덩굴을 질질 끌고 헐레벌떡 틸틸에게 달려갔다.

"틸로가 왔습니다, 도련님. 도련님한테 덤비는 놈은 제 이빨로 갈기갈기 찢어 놓을 겁니다."

개는 돼지가 공격할 때마다 쫓아 내고, 당나귀의 어깻죽지를 물어뜯고, 황소의 엉덩이를 깨물었다. 또 덤비는 나무들을 순서대로 해치웠다.

개가 한숨 돌리고 있는데 별안간 측백나무가 틸틸의 머리를 세게 내리쳤다. 틸틸은 머리를 감싸안고 쓰러졌다.

개는 틸틸이 얼마나 다쳤는지 살피기 위해 뛰어가다가 미루나무에게 심한 매질을 당했다.

정신을 차린 틸틸은 힘겹게 일어섰다. 개도 아픔을 꾹 참고 틸틸에게 다가갔다.

전투 태세態勢가 갖춰지자 다시 싸움이 시작되었다. 틸틸과 개는 미틸을 보호하며 열심히 싸웠다. 치열했던 싸

태세(態勢) : 어떤 일을 앞두고 정신적 · 육체적으로 갖추어진 태도나 자세.

움은 곧 끝났다.

"도련님, 괜찮으세요?"

개는 기어서 틸틸에게 다가갔다.

"손목이랑 발꿈치를 물렸어. 너는 좀 어때?"

틸틸의 손목에서 붉은 피가 흘렀다. 그것을 본 개는 깜짝 놀라 상처를 핥아 주었다. 바로 그 때였다. 몸을 추스른 나무와 동물들이 다시 무서운 기세로 그들에게 다가오고 있었다. 이제 틸틸과 개는 더 이상 싸울 힘이 남아 있지 않았다. 틸틸은 자포자기自暴自棄의 심정이 되어 주저앉고 말았다. 그 때였다.

"어? 도련님, 저길 보세요! 빛의 요정이 오고 있어요."

개가 눈물을 글썽이며 외쳤다. 빛의 요정이 다가오는 것을 본 나무와 동물들은 허둥지둥 달아났다. 빛의 요정이 가까이 다가올수록 숲 속이 점점 환해졌다. 어느덧 아침이 오고 있었다.

자포자기(自暴自棄) : 모든 희망이 끊어진 상태에 빠져서, 자신을 돌보지 아니함.

"온통 상처투성이네요. 무슨 일이 있었나요?"

"동물들과 나무들이 우리를 공격했어요."

틸틸이 눈물을 주르르 흘렸다.

"가엾어라. 그럴 때는 다이아몬드를 돌리면 되잖아요. 그럼 모든 것이 소리 없이 사라져 버리지요."

틸틸은 조금도 주저하지 않고 다이아몬드를 돌렸다. 그러자 나무 요정이 모두 재빨리 나무 안으로 도망쳤고 동물들도 사라져 버렸다. 숲은 다시 평화를 되찾았다. 아무 일도 없었던 것처럼 고요해졌다.

소설에서 주인공들이
더 이상 어떻게 할 수 없을
정도로 궁지에 몰릴 때는 말야,
빛의 요정처럼 절대적인 힘을
가진 자가 나타나서
사건을 해결하기도 하지.

"모두 어디로 사라진 거지? 꿈을 꾼 건가?"

"꿈이 아니에요. 나무와 동물들도 영혼을 가지고 있어요. 보통 때는 보이지 않을 뿐이에요. 내가 전에 했던 말 기억하나요? 내가 없을 때 다이아몬드를 돌리는 건 위험한 짓이에요.

응. 옛날
그리스 연극에서는
그 역할을
주로 신들이 했었대.

아셨죠?"

빛의 요정이 단단히 당부當付했다.

"틸로와 칼이 없었다면 정말 큰일났을 거예요."

틸틸이 칼을 닦으며 말했다. 그 때 고양이가 덤불 속에서 다리를 절뚝거리며 나왔다.

"아이고, 아파라. 떡갈나무가 마구 때려서 팔이 부러졌지 뭐야!"

"어느 쪽 팔이 다쳤는지 보고 싶군."

개가 빈정거렸다.

미틸은 고양이를 쓰다듬으며 미처 신경 쓰지 못한 것을 미안해했다. 그러자 고양이는 더욱 엄살을 부렸다.

"아가씨, 아가씨를 잡아먹으려던 돼지를 제가 콱 물려고 하는데 갑자기 떡갈나무가 나

틸틸은
아직도 고양이를
믿고 있나 봐.

당부(當付) : 어찌하라고 말로 단단히 부탁함. 또는 그 부탁.

타나는 게 아녜요? 떡갈나무가 그 긴 팔을 마구 휘두르는데 저는 그 때 그만 정신을 잃었답니다."

개는 고양이가 거짓말하는 것을 더 이상 눈 뜨고 볼 수 없어서 날카로운 송곳니를 내밀며 으르렁거렸다. 고양이는 겁에 질린 표정을 지으며 미틸의 뒤로 숨었다.

"아가씨, 틸로가 너무 무서워요."

미틸은 고양이가 가여워서 개의 머리를 살짝 쥐어박았다.

"틸로! 계속 틸레트를 괴롭히면 미워할 거야!"

아유, 답답해.
틸레트 때문에 모두가 위험에 처하고 있단 말이야!

6장

묘지에서

빛의 요정은 틸틸 일행을 이끌고 묘지로 향했다. 멀리 어둠 속에 십자가들이 보였다. 왠지 예감豫感이 좋지 않았다. 아이들이 빛의 요정에게 조심스럽게 물었다.

"어디로 가는 거지요?"

"우리가 가는 곳은 묘지예요. 베릴륀 할머니가 어쩌면 저 안에 파랑새가 있을지도 모른다고 하셨거든요. 죽은 사람이 자기 무덤 속에 파랑새를 감춰 두었는지도 모르지요."

예감(豫感) : 무슨 일이 일어날 것 같다는 것을 미리 느낌.

으헉,
무슨 공포 영화 같잖아!
무덤 속으로 들어가라니!

"묘지에 들어간다고 해도 어떻게 파랑새를 찾을 수 있어요?"

"어렵지 않아요. 한밤중에 조용히 다이아몬드를 돌리면, 죽은 사람들이 무덤에서 나오는 것을 볼 수 있어요. 그 때 무덤 속으로 들어가면 돼요."

빛의 요정과 틸틸의 대화를 듣고 있던 요정들은 얼굴이 하얗게 질렸다.

"죽은 사람들이 우릴 보고 화를 내면 어떡해요?"

"걱정하지 마세요. 만약에 죽은 사람들이 도련님을 보게 되더라도 자기들처럼 죽은 사람인 줄 알 테니까요."

틸틸은 차근차근 물어보기는 했지만 요정들과 같은 심정心情이었다.

"저희랑 같이 가실 거지요?"

틸틸이 빛의 요정을 애절하게 쳐다보았다.

심정(心情) : 마음에 품은 생각과 감정.

“아니요, 요술쟁이 할머니가 두 분만 보내라고 하셨는 걸요.”

“그럼 틸로도 같이 못 가나요?”

“전 어디든 도련님과 함께 할 거예요.”

개가 당연하다는 듯이 말했다.

“안 돼요. 우리는 묘지 입구에서 기다리고 있을게요. 아무 일도 없을 테니 염려念慮 마세요.”

빛의 요정은 아이들에게 입을 맞춘 뒤, 요정들을 이끌고 묘지 입구 쪽으로 사라졌다.

일행의 모습이 완전히 사라지자, 틸틸과 미틸은 억지로 발걸음을 옮겼다. 환한 달빛에 모습을 드러낸 묘지는 으스스한 분위기를 풍기고 있었다. 묘지에는 이름 모를 풀이 우거져 있었고 묘비와 나무 십자가가 무덤마다 세워져 있었다. 아이들은 키 작은 비석 옆으로 다가갔다.

염려(念慮) : 앞일에 대하여 여러 가지로 마음을 써서 걱정함.

"오빠, 무서워!"

"괜찮아. 나랑 같이 있잖아."

말은 그렇게 했지만 틸틸 역시 무서웠다.

"오빤 죽은 사람 본 적 있어?"

"어렸을 때 봤는데, 얼굴이 새하얗고 피부가 얼음같이 차가웠어. 그리고 아무 말도 없었지……."

틸틸과 미틸은 잠시 동안 말없이 무덤을 쳐다보았다. 미틸이 초조해져서 말했다.

"오빠, 다이아몬드는 언제 돌려?"

"한밤중이 되어야 죽은 사람이 깨어난다고 빛의 요정이 그랬잖아. 그 때까지 기다려야지."

"아직 시간 안 됐을까?"

미틸은 한 시라도 빨리 묘지에서 벗어나고 싶었다.

"저기 교회 시계 보이니?"

"응, 초침까지도 다 보여!"

"이제 12시가 되려고 해. 봐."

드디어 교회의 시계가 12시를 알렸다.

야아오옹
까아악
죽은 사람들이
어떻게 생겼는지 알아?
죽은 사람들은 말야.
얼굴이 새하얗고
무시무시하게 생겼지.
흐흐흐.
아앙~!
오빠, 무서워.
ㅋㅋㅋ
덜덜덜

미틸, 네가 가면
틸틸 혼자 어떡하라고?
항상 함께 해야지~.
'남매는 용감했다!'는 말처럼.

"이제 다이아몬드를 돌려야겠다."

미틸은 틸틸이 다이아몬드를 돌리지 못하게 막으며 말했다.

"오빠! 돌리지 마. 나 너무 무서워."

"무섭기는 뭐가 무서워? 정 그러면 눈을 감고 있어."

미틸은 오빠의 옷에 매달리며 애원哀願했다.

"오빠, 난 여기 있는 게 너무 싫어. 꺄, 묘지에서 뭔가 나오고 있어."

"쉿! 꾸물댈 시간 없어. 지금이야."

틸틸은 서서히 다이아몬드를 돌렸다. 순간 세상의 모든 사물이 숨을 죽인 듯 적막해지더니 무덤이 하나 둘 열렸다. 미틸은 두 손으로 얼굴을 가린 채 틸틸의 뒤에 바짝 붙어 섰다.

벌어진 무덤 속에서 아지랑이 피어오르듯 꽃의 요정들

애원(哀願) : 자기의 딱한 사정을 남에게 털어놓고 말하며 몹시 애처롭게 바람.

이 나왔다. 그리고 순식간에 하얀 꽃망울로 변하더니 활짝 피어났다. 그 꽃들은 자꾸만 퍼져서 묘지는 금세 아름다운 꽃밭으로 변했다. 나뭇잎이 바람에 부딪혀 박수 소리를 냈고 꿀벌이 윙윙거리며 날아다녔다. 하얀 나비도 날아와 꽃 위에서 편안히 쉬었고 새는 고운 목소리로 지지배배 노래를 불렀다.

멍하니 넋을 놓고 있던 아이들은 서로 손을 꼭 잡고 무덤 속으로 들어갔다. 하지만 무덤 속에는 죽은 사람도 없었고 파랑새도 보이지 않았다.

정말 의외인걸?
묘지에서 이런 아름다운
풍경이 펼쳐지다니 말이야.
역시 눈에 보이는 것이 전부는
아닌가 봐.

7장

행복의 궁전

새하얀 구름이 틸틸 일행의 주위를 흐르고 있었다.

"우리가 서 있는 곳은 사람들의 모든 행복을 모아 놓은 마술의 꽃동산 입구예요. 그렇지만 행복의 궁전은 불행의 동굴과 이웃해 있어요. 만에 하나 불행이 닥칠지 모르니까 모두들 조심해요. 불행은 위험하고 무서운 것이니까요."

이 곳이 위험할지도 모른다고 빛의 요정이 말하자 몇몇 요정들은 핑계를 대며 그 곳에서 빠져 나가려고 애썼다. 그들의 모습을 바라보던 빛의 요정은 서운한 기분이 들었지만 한편으로는 그들을 이해할 수 있었다. 그래서 빛의 요정은 틸틸과 미틸, 빵의 요정, 사탕의 요정과 개만 행복의 궁전에 보내기로 했다.

"빛의 요정님은요?"

틸틸이 물었다.

"나도 가야죠. 대신 내 빛이 너무 밝으니 두꺼운 베일로 가리고 들어가겠어요. 빛이 한 줄기라도 새어 나가서 행복들을 놀라게 해서는 안 되니까요."

빛의 요정과 틸틸 일행은 행복의 궁전으로 들어갔다. 넓은 방에 줄지어 서 있는 대리석 기둥에 방 안은 온통 금으로 장식되어 있어 번쩍번쩍 빛이 났다. 방 한가운데는 비취로 만들어진 큰 탁자가 있었고 그 위엔 화려한 촛대와 컵, 음식이 담긴 접시가 놓여 있었다. 그 탁자에는 상상할 수 없을 정도로 살이 찐 사람들이 빙 둘러앉아 먹고 마시고 즐겁게 떠들며 노래하고 있었다. 모두 값비싼 비단옷을

아, 눈부셔! 그런데
행복이 이렇게 화려하고
값비싼 것일까?

차려입었고 머리에는 온갖 보석으로 장식된 관을 쓰고 있었다.

"저 사람들은 누구예요?"

틸틸이 물었다.

"세상에서 가장 뚱뚱한 사치들이에요."

빛의 요정이 대답했다.

"아, 소시지랑 어린 양고기, 송아지 간까지! 진짜 맛있겠다."

틸로는 입 안 가득 고인 침을 꼴깍 삼켰다.

"저, 저건 최고급 밀가루로 만든 빵이야. 음……, 역시 냄새부터 다르구나."

빵의 요정은 눈을 감고 빵 냄새를 음미吟味했다.

"잠깐 실례하겠어요. 여러분, 이런 훌륭한 식탁에 얼음사탕이 빠져서 되겠습니까?"

사탕의 요정은 아예 가장 뚱뚱한 사치들과 함께 탁자에

음미(吟味) : 사물의 내용이나 속뜻을 깊이 새기어 맛봄. 그 맛을 감상함.

앉았다.

"저 사람들은 정말 행복한가 봐요. 계속 웃고, 노래하고 있어요."

틸틸은 사치들을 부러운 듯 쳐다보며 말했다. 그 때 가장 뚱뚱한 사치가 일어나 활짝 웃으며 아이들 쪽으로 다가왔다. 그 모습을 보고 빛의 요정이 말했다.

'고진감래'라는
말이 있어. 고생 끝에
즐거움이 온다는 말이지.
조금만 참으면 진짜 행복이
올 거야.

"아마 저들이 여러분을 저녁 식사에 초대할 거예요. 하지만 초대를 받아들이거나 과자를 받아 먹어서는 안 돼요."

빛의 요정이 당부했다. 가장 뚱뚱한 사치는 틸틸에게 손을 내밀며 인사했다.

"안녕, 틸틸! 나는 '사치' 라고 해요. 당신들을 저녁 식사에 초대하고 싶어요. 그럼 먼저 내 친구들 소개부터 할게요. 이 친구는 땅을 많이 가지고 있는 '땅 사치', 얼굴이 잘생긴 이 친구는 '겉모습만 뻔지르르한 사치', 그리고 이 친구는 배도 안 고픈데 마구 먹어 대는 '배부름의

각자 자기 소개
좀 해 주시죠.
부자 사치
나는야,
땅땅땅 사치!
나는 겉모습만
번지르르 사치!
우리는
바보 사치,
무지한 사치!
정말 사치스럽게
생긴 얼굴과 몸이네.
계속 먹고만 있었나?

사치' 예요. 이 친구는 귀머거리인데 아는 것이 아무것도 없답니다. '무지한 사치' 라고 하지요. 그리고 무지한 사치의 쌍둥이 동생인 '바보 사치', 둘 다 세상 돌아가는 형편을 모르죠. 이 친구는 잠만 자는 '잠의 사치', 저 친구는 조그만 일에도 웃음을 터뜨리는 '웃음의 사치' 라고 하지요."

사치들은 너무
뚱뚱해서 허리를 굽히기
어려운 모양이야.
고개만 까닥거리는 걸
보니까!

사치들은 호명呼名될 때마다 고개를 까닥거리며 인사를 했다.

"자, 그럼 가실까요?"

가장 뚱뚱한 사치는 틸틸의 손을 잡아끌었다.

"초대해 주셔서 고맙습니다. 하지만 저는 할 일이 있어요. 파랑새를 찾아야 하거든요."

"파랑새는 우리 식탁에 한 번도 나오지 않았지요. 그렇다면 분명히 맛이 없는 새일 겁니다."

호명(呼名) : 이름을 부름.

먹고 놀기만 하면
행복할까? 너는 언제 가장
행복했는지 생각해 봐.

"그런데 당신들은 무슨 일을 하나요?"

"우린 아무 일도 안 해요. 1년 내내 먹고 놀지요."

사치는 허리를 꼿꼿이 세우며 대답했다.

틸틸과 사치가 이야기를 나누고 있는 사이 개와 빵, 사탕의 요정은 어느 새 탁자로 가서 다른 사치들과 어울리고 있었다.

"빨리 돌아와요! 안 그러면 정말 큰일이 날 거예요!"

빛의 요정이 다급하게 외쳤다.

흠……,
난 힘들게 노력해서
뭔가를 얻었을 때 보람도
느끼고 행복했던 것 같아.

"틸로, 어서 이리 오지 못해! 빵과 사탕도 당장當場 이리 오라고! 누가 거기서 음식을 먹으라고 했어!"

틸틸이 발을 동동 굴렀다.

"말 좀 곱게 합시다."

당장(當場) : 눈앞에 닥친 현재의 이 시각.

빵의 요정이 금방이라도 터져 버릴 것 같은 입에 음식을 쑤셔 넣으며 말했다.

"먹을 때는 개도 안 건드린다는 거 모르세요? 그 정도는 상식인데……."

그렇게 충직하던 개마저도 숟가락질을 멈추지 않았다.

"이런 훌륭한 식사를 거절하는 건 예의가 아니죠. 자 자, 도련님도 어서 오세요. 함께 해요, 우리!"

사탕의 요정이 애교를 부리며 어깨를 살짝 흔들었다.

"고집固執부리지 말고 같이 갑시다. 모두 우리를 기다리고 있잖습니까?"

사치의 말이 끝나자, 다른 사치들이 소리를 지르며 일제히 뛰어나와 틸틸과 미틸을 잡아끌었다. 웃음의 사치는 빛의 요정의 허리를 사정없이 낚아챘다.

"더 이상 안 되겠어요. 다이아몬드를 돌려요!"

고집(固執) : 자신의 생각이나 의견만을 내세워 굽히지 아니함. 또는 그러한 성질.

빛의 요정이 말하자 틸틸은 곧바로 다이아몬드를 돌렸다. 그러자 온갖 화려한 장식들이 온데간데없이 사라지고 평화롭고 깨끗한 궁전이 나타났다. 궁전 앞 분수는 물줄기를 시원하게 내뿜었다. 기름진 음식들이 가득 차려져 있던 탁자가 사라지고 여러 사치들이 입고 있던 비단옷은 누더기로 변했다. 술에 취해 즐겁게 웃고 있던 사치들의 얼굴들은 모두 가면으로 변해 발 밑으로 툭 떨어졌다. 그 와중에도 웃음의 사치는 웃음을 멈추지 않았다. 그러나 그를 제외한 사치들은 당황한 기색氣色이 역력했다. 그들은 어디든 숨을 곳을 찾아 헤맸다. 그러나 그들이 가는 곳마다 욕설과 저주의 소리가 터져 나올 뿐이었다.

"이제 저들은 불행의 동굴밖에 갈 데가 없어요. 그 곳은 한번 들어가면 다시 빠져 나올 수 없지요."

빛의 요정이 말을 하는 동안에도 사치들은 정신 없이 도망쳤다.

기색(氣色) : 얼굴에 나타난 마음 속의 생각이나 감정 따위.

개와 빵, 사탕의 요정은 아무 말 없이 슬금슬금 아이들 뒤로 가서 숨었다.

"그런데 여기는 어디죠? 정말 아름다워요."

틸틸은 자기가 눈치채지 못하는 동안 빛의 요정이 요술을 부렸다고 생각했다.

"아무것도 바뀌지 않았어요. 당신 마음의 눈이 바뀌었을 뿐이에요. 이제야 참된 행복이 보일 거예요."

빛의 요정은 주위를 둘러보라며 손짓을 했다.

바로 그 때, 나무 사이에서 장밋빛과 물빛, 새벽빛의 얇고 찬란한 옷을 입은 여자 아이들이 까르르 웃으며 나타나 방 안을 가득 메웠다.

"저 아이들은 모두 '행복' 이에요. 행복들이 우리를 안내해 줄 거예요. 이 세상에는 사람들이 생각하는 것보다 훨씬 많은 행복이 있답니다."

빛의 요정이 오랜만에 만난 행복들과 반갑게 인사를 나누었다. 자그마한 행복들은 틸틸 일행을 둘러싸고 즐겁게 춤을 추었다.

다른 사람과
생각이나 느낌을 나눌 때는
말 이외에도 여러 가지 수단이
있을 거야.

"우와, 정말 예뻐요. 이 아이들은 누구예요?"

"어린이의 행복이에요. 모두 웃고 노래하고 춤추고 있지만 말은 하지 않아요."

틸틸은 아이들과 어울리고 싶어서 조바심이 났다.

"이 아이들과 함께 춤추고 싶어요. 그래도 되나요?"

"아쉽지만 그럴 시간이 없어요."

맞아.
행복들이 보여 주고 있는
노래나 춤뿐만 아니라, 그림이나
글, 사진, 영화, 연극 등
다양한 방법이 있지.

빛의 요정은 딱 잘라 말했다. 갑자기 자그마한 행복들보다 키가 조금 더 큰 행복들이 노래를 부르면서 다가왔다. 그들도 아이들을 둘러싸고 환상적인 춤을 추었다. 춤이 끝나자 그 중 한 명이 틸틸에게 다가와 손을 내밀며 인사를 했다.

"안녕하세요, 틸틸 님!"

"어? 어떻게 내 이름을 알지? 넌 누구니?"

"절 모르시겠어요? 우리는 언제나 도련님 곁

에 있었잖아요."

"그러고 보니 어디서 본 것 같기도 하고……."

"기억을 못 하시는군요. 여기 이 친구들은 도련님 집에 가득한 행복들이에요."

"우리 집에 이렇게 많은 행복이 있다고?"

행복들은 일제히 까르르 웃었다.

"도련님, 행복은 모든 곳에 가득해요. 우리는 웃고 노래하고 춤을 추지요. 그런데도 사람들은 우리가 항상 함께 있다는 걸 몰라요. 제 소개가 늦었죠? 저는 '건강의 행복'이랍니다. 이 친구는 '맑은 공기의 행복'이고, 저 친구는 '부모님을 사랑하는 행복'이에요. 그리고 여기 제 옆에 있는 친구는 '푸른 하늘의 행복'이고, 초록색 옷을 입고 있는 이 친구는 '숲의 행복', 반짝거리는 옷을 입은 이 친구는 '양지陽地의 행

등잔 밑이
어둡다고 하잖아.
우리들은 행복들이
너무 가까이 있어서
못 알아보고 있는 게
아닐까.

양지(陽地) : 볕이 바로 드는 곳.

이렇게나 다양한 행복들이 있다니. 그럼 하루에도 수십 번은 행복할 수 있겠다.

복' 이랍니다. 우리와 가까워지면 사람들은 항상 즐겁지요. 해가 질 때면 '해가 지는 행복' 을 보게 되고, 궂은 날이면 '비의 행복' 을, 겨울에는 '난롯불의 행복' 을 보게 되실 거예요. 이렇게 소개하면 끝이 없겠어요. 그렇지만 우리들 중에서도 커다란 기쁨들을 빼놓을 수는 없지요. '이슬 속을 맨발로 달리는 행복' 이 벌써 커다란 기쁨들에게 이 소식을 전했을 거예요. 조금만 기다리세요, 큰 기쁨들이 달려올 테니까요."

건강의 행복은 한꺼번에 너무 많은 친구들을 소개하느라 숨이 가빴다. 바로 그 때, 꼬마 아이가 달려와서 틸틸을 꼬집고 발길질을 해댔다. 틸틸은 갑작스런 공격에 당황스러웠다.

"날 괴롭히는 이 꼬마 녀석은 누구지?"

"바로 '개구쟁이 행복' 이에요. 불행의 동굴에서 나온 유일한 행복이지요. 어떤 불행들도 저 꼬마 하나만은 손쓸 방법이 없었다는군요."

안녕하세요?
틸님. 저는 개구쟁이
행복이에요.
잉? 난 너희들을
처음 보는데?
안녕하세요.
저희들은 항상 여러분
곁에 있답니다!
이 행복들이
우리 곁에
있었다고?

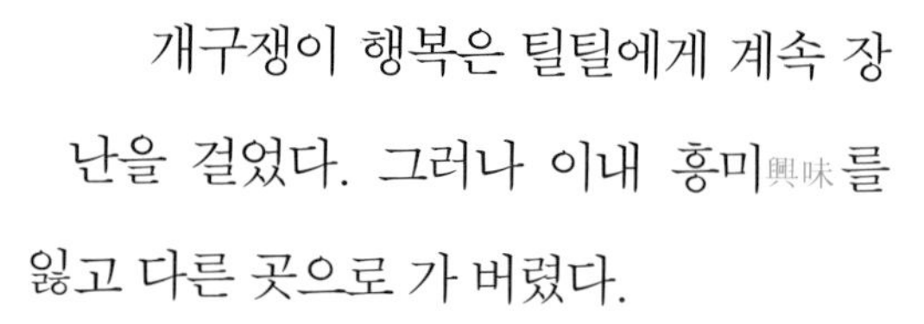

좋아하는 친구랑
친해지고 싶어서
일부러 장난쳐 본 경험이 있지?
바로 개구쟁이 행복이
그런 경우라고 할 수 있어.

개구쟁이 행복은 틸틸에게 계속 장난을 걸었다. 그러나 이내 흥미興味를 잃고 다른 곳으로 가 버렸다.

"혹시 파랑새가 어디 있는지 아니?"

"파랑새가 어디 있는지 아냐고요?"

행복들은 또다시 까르르 웃었다.

"왜 웃는 거야?"

"도련님은 정말 파랑새가 어디에 있는지 모르나 봐. 세상 사람들은 다 저렇다니까."

그 때 이슬 속을 맨발로 달리는 행복이 커다란 기쁨을 데리고 나타났다. 커다란 기쁨들은 키가 매우 컸고 빛나는 옷을 입고 있었다.

어? 어? 행복들은
파랑새가 어디 있는지
알고 있는 눈치인데?

"와, 다들 굉장히 아름다워요. 그런데 왜 저 사람들은 웃지 않아요? 행복하지 않나요?"

흥미(興味) : 대상에 이끌려 관심을 가지는 감정.

틸틸은 웃지 않는 그들이 왜 커다란 기쁨이라고 불리는지 궁금했다.

"웃을 때가 가장 행복한 건 아니랍니다."

빛의 요정이 친절하게 대답했다. 그러자 건강의 행복이 덧붙였다.

"저 사람들은 커다란 기쁨들이에요. 가장 앞이 '정의의 기쁨', 그 뒤는 '선행善行의 기쁨', 오른쪽 옆이 '생각하는 기쁨', 그 옆이 일을 끝낸 뒤 '성취의 기쁨', 그 뒤는 '앎의 기쁨'이죠."

시상식 보면 상 받고
우는 사람도 있잖아. 슬퍼서
그런 게 아니야. 너무 기뻐서
눈물이 나는 거지.

틸틸은 이렇게 많은 기쁨들이 있다는 사실이 매우 놀라웠다.

"그런데 저기 저 사람들은 왜 오다 말고 뒤를 돌아보고 있는 거지?"

"또 다른 기쁨이 오고 있는 걸 맞이하고 있는 거예요.

선행(善行) : 착하고 어진 행실.

아마 도련님에게 제일 반가운 기쁨일걸요!"

"누군데요?"

"바로 도련님의 '엄마 사랑의 기쁨' 이랍니다. 세상 무엇과도 바꿀 수 없는 엄마 사랑의 기쁨이요!"

아이들을 발견한 엄마 사랑의 기쁨이 두 팔을 활짝 벌리고 다가왔다. 다른 기쁨들도 엄마 사랑의 기쁨의 뒤를 따랐다. 엄마 사랑의 기쁨은 아이들을 양팔에 하나씩 끌어안았다.

"틸틸! 미틸! 너희들이 여기에 와 있을 줄은 꿈에도 몰랐구나. 자, 엄마에게 입을 맞추렴."

엄마 사랑의 기쁨은 아이들을 꼭 껴안았다. 그러나 틸틸은 평소의 엄마보다 훨씬 아름다운 엄마 사랑의 기쁨에게 왠지 모를 거리감距離感이 느껴졌다.

"왜 그런 얼굴을 하고 있니? 난 더 이상 나이를 먹지 않아서 이렇게 젊고 기운이 넘치는 거란다. 이 곳에서는 진

거리감(距離感) : 사람과 사람 사이에서 간격이 있다는 느낌. 서먹서먹한 느낌.

실을 알 수 있지. 자, 내 얼굴을 보렴."

틸틸은 엄마 사랑의 기쁨을 한참 쳐다보고 나서야 그녀가 진짜 엄마라는 것을 알 수 있었다. 틸틸은 무척 기뻐하며 엄마 사랑의 기쁨에게 입을 맞췄다. 미틸도 엄마의 허리를 꼭 껴안았다.

"아이, 좋아라. 엄마, 이 옷은 뭐로 만든 거예요? 비단, 아니면 진주?"

틸틸이 드레스를 만지작거리며 물었다.

"이건 너희들의 사랑으로 만들어졌단다. 너희가 엄마에게 입을 맞출 때마다 그 입맞춤들이 기쁨으로 변해서 보석이 되어 옷에 맺힌단다."

사랑의 힘은 역시
위대해! 오, 보석보다
찬란한 사랑의 힘이여!

엄마 사랑의 기쁨은 또다시 아이들의 볼에 입을 맞췄다.

"그런데 이 옷은 한 번도 본 적이 없는데? 어디다 감춰 놓았던 거예요?"

"엄마는 항상 이 옷을 입고 있었어. 눈에 보

헤헤헤.
이 옷과 보석은
모두 너희들의 사랑으로
만들어진 거야.
역시 엄마가
제일이야!
쪽쪽!
행복해
이 옷은 한 번도
본 적이 없는데…….
엄마가 진짜 엄마
아닌 거 같아.

이지 않았을 뿐이야. 세상의 모든 엄마들은 아이들을 사랑할 때 부자가 된단다. 아무리 슬퍼도 사랑하는 자식들의 입맞춤을 받으면, 눈물이 반짝이는 보석으로 변하지."

엄마 사랑의 기쁨의 눈에는 수많은 보석들이 박힌 듯 반짝거렸다.

"엄마, 우리도 여기 있을래요. 집에 가지 않을래요. 언제까지라도 엄마랑 같이 있을 거라고요!"

틸틸과 미틸은 엄마에게 더 꼭 매달렸다.

"그건 안 돼. 원래 있던 곳으로 돌아가야만 해. 너희가 여기까지 온 건 어떤 게 참모습인지 알아야 하기 때문이란다. 알겠니? 가만, 그런데 여긴 어떻게 온 거니?"

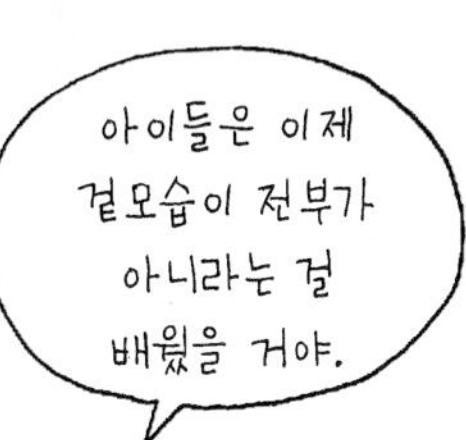
아이들은 이제
겉모습이 전부가
아니라는 걸
배웠을 거야.

틸틸은 말없이 한쪽 구석에 서 있는 빛의 요정을 가리키며 말했다.

"빛의 요정이 데려다 줬어요."

"정말? 우리가 그분을 얼마나 기다렸는데……. 여러분, 빛의 요정님이 오셨대요!"

엄마 사랑의 기쁨은 호들갑스럽게 다른 기쁨들을 불러 모았다. 그러자 커다란 기쁨들이 함성喊聲을 지르며 몰려왔다.

"오랫동안 기다렸어요, 빛의 요정님. 그런 베일은 벗어 버리세요. 우리 기쁨들이 모두 당신 앞에 무릎을 꿇고 앉아 있잖아요. 우리들의 여왕님, 제발 우리들을 환하게 비춰 주세요."

앎의 기쁨이 빛의 요정 앞에서 머리를 조아렸다.

"고마워요. 하지만 아직 때가 아니랍니다. 때가 오면 그림자를 떼어 놓고 다시 오겠어요. 이제 곧 아침이 올 것 같군요. 헤어져야 할 시간이 왔어요."

빛의 요정은 베일을 조금 벗었다.

"안녕, 우리 아이들에게 친절하게 대해 주셔서 정말 고마워요."

엄마 사랑의 기쁨은 진심으로 고마워하며 빛의 요정을

함성(喊聲) : 여럿이 함께 지르는 고함 소리.

껴안고 입을 맞췄다.

"사랑하는 사람들에게 친절하게 대한 것뿐이에요."

빛의 요정이 겸손하게 대답했다.

"제 이마에 작별의 입맞춤을 해 주세요."

앎의 기쁨이 이렇게 말하며 다가가자, 빛의 요정은 기꺼이 앎의 기쁨의 이마에 입을 맞췄다. 그런데 웬일인지 두 사람의 눈에 눈물이 맺혔다. 다른 기쁨들도 눈물이 그렁그렁했다. 틸틸은 그들이 왜 눈물을 흘리는지 이해할 수 없었다.

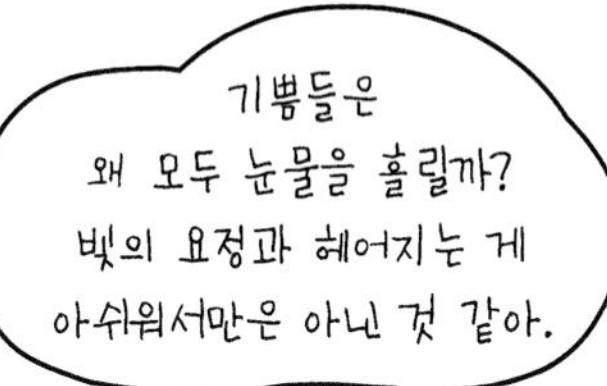

"왜 우는 거죠? 어째서 울고 있는 건가요?"

"그냥 놔 두세요. 조용히……."

빛의 요정의 눈에서도 눈물이 흘러내렸다.

8장

미래의 나라

사파이어는 '청옥'이라고도 해. 이름대로 파란색을 띠고 있는 보석이지. 옛날에 왕의 보석이나 고위 성직자의 반지로 사용되었다고 해.

빛의 요정은 방 전체가 온통 파란색인 곳으로 일행들을 이끌었다. 그 곳은 미래의 나라였다.

안에 들어서자 넓은 방이 보였는데 온통 파란색이었다. 우뚝 서 있는 사파이어 기둥들이 그 천장天障을 든든하게 떠받치고 있었다. 바닥에 깔린 돌도 파랗게 빛나고 있었다. 단 두세 개의 흰 대리석 의자만은 예외였다.

천장(天障) : 지붕 안쪽의 겉면.

넓은 방 안에 파란 옷을 입은 아이들이 여기저기 무리 지어 있었다. 뛰어노는 아이들, 조잘거리며 이야기를 나누는 아이들, 혼자만의 생각에 잠겨 멍하게 서 있는 아이들 등 다양多樣한 아이들이 있었다. 그리고 파란색 옷을 입은 키가 큰 사람들이 아이들 사이를 오가고 있었다.

"어? 요정들은 어디로 갔죠?"

빛의 요정과 미틸을 빼고 아무도 보이지 않자 틸틸이 물었다.

"아무도 데려올 수 없었어요. 앞으로 일어날 일을 미리 알아 버리면 아무 일도 안 하려고 할 테니까요."

"여기가 어딘데요?"

"여긴 미래의 나라예요. 아직 태어나지 않은 아이들이 살고 있는 곳이랍니다. 이번엔 꼭 파랑새를 찾을 수 있을 거예요."

철학자 스피노자는
'내일 지구의 종말이 오더라도
나는 한 그루의 사과나무를
심겠다.'고 말했어.
비록 미래가 정해져 있어도
오늘에 최선을 다해야 하는 법!

다양(多樣) : 종류가 여러 가지로 많음.

그 때 틸틸과 미틸, 빛의 요정 주위로 셀 수 없이 많은 아이들이 모여들었다.

"와, 살아 있는 아이들이다! 저 아이들을 좀 봐!"

틸틸은 왜 자기를 살아 있는 아이라고 부르는지 알 수 없어서 빛의 요정에게 물어 보았다.

"저 아이들은 아직 살아 있지 않기 때문이에요. 모두 태어날 때를 기다리고 있거든요."

빛의 요정이 설명해 주었지만 틸틸은 무슨 말인지 도통 알아들을 수 없었다.

"앞으로 세상에 태어날 아이들이 이 곳에 모여 살고 있는 거예요. 아기를 갖고 싶은 아빠랑 엄마는 저기 오른쪽에 있는 커다란 문 앞에 서서 기다렸다가, 아기가 나오면 받아가지요."

"이 아이들이 전부全部 세상에 태어날 아이들이란 말이에요?"

전부(全部) : 어떤 대상을 이루는 낱낱을 모두 합친 것.

"이보다 훨씬 더 많답니다. 이런 방이 3만 개나 있는걸요."

그 때 파란색 옷을 입은 키가 큰 사람들이 삼엄森嚴한 표정을 지으며 느리게 지나갔다.

와, 이런 방이 3만 개?
상상이 안 가! 앞으로
태어날 아이들이
엄청나게 많은가 봐.

"저 사람들은 누구지요?"

"아기들을 지켜 주는 수호신이에요. 저 사람들한테는 아무것도 묻지 마세요."

"왜요?"

"저 사람들만 알고 있는 미래의 비밀이 알려져서는 안 되니까요."

그 때 한 아이가 틸틸에게 다가와 손을 내밀었다.

"안녕!"

틸틸도 반갑게 인사를 했다.

"안녕, 넌 몇 살이니?"

삼엄(森嚴) : 분위기 따위가 무서우리만큼 엄숙함.

"태어나려면 앞으로 12년쯤 기다려야 해. 넌 어떻게 태어났어?"

파란 옷을 입은 아이의 얼굴에 호기심이 가득했다.

"잘 생각 안 나. 너무 오래 전 일이라서 말이야."

"태어날 때 엄마들이 저 문 밖에서 기다리고 있다고 들었어. 엄마들은 모두 좋으니?"

"그럼, 정말 좋아. 이 세상에서 엄마보다 좋은 건 없어. 할머니도 좋지만 금방 죽으니까."

"죽는다니? 그게 무슨 말이야?"

"어느 날 갑자기 다시는 만날 수 없게 되는 거야."

"왜?"

"나도 몰라. 아마 너무 슬퍼서 그런 것 같아."

틸틸은 돌아가신 할머니, 할아버지를 떠올렸다.

"어? 넌 눈에서 진주를 만들 수 있구나?"

"이건 진주가 아니야."

틸틸은 서둘러 눈물을 훔쳤다.

"그럼 뭔데?"

정말 반갑구나.
태어나면 모두 행복하게
살았으면 좋겠다.
이 많은 아이들이
곧 태어날
아이들이라고?
엄마들이
문 밖에서
기다리고 있다며?
와, 살아 있는
아이들이다!
쟤들은 어떻게
태어났을까?
엄마들은 정말
좋은 사람들이니?

"여기가 온통 파래서 눈이 부셔서 그래."

"난 하나도 눈부시지 않은데……."

파란 옷을 입은 아이도 눈물을 만들고 싶었지만 아무리 둘러보아도 눈물은 나지 않았다.

"근데 그 파란 깃털은 뭐니?"

"이건 내가 태어나면 발명할 건데 행복해지는 데 도움이 될 거야."

아우성이란 여러 사람이
기세를 올려 지르는 소리야.
얼마나 시끄러울지
짐작이 가지?

틸틸은 신기해서 깃털을 만져 보았다. 틸틸이 파란 옷을 입은 아이의 발명품에 관심關心을 보이자, 많은 아이들이 달려들었다. 그들은 자기가 만든 발명품도 봐 달라고 아우성을 쳤다.

"난 쉽게 병을 낫게 하는 약을 연구하고 있어. 이것 좀 봐. 오래 살 수 있게 해 주는 서른세 가지의 약이야."

관심(關心) : 어떤 사물에 마음이 끌리어 주의를 기울이는 일.

이 아이는 나중에
로켓이나 우주선을
만들려나 봐.

"난 지금까지 볼 수 없었던 전혀 새로운 빛을 발명할 거야."

"난 날개가 없어도 하늘을 날 수 있는 기계를 만들었어."

아이들은 자신만만自信滿滿하게 얘기하며 작업장 앞으로 틸틸을 끌고 갔다. 아이들은 작업장 안으로 흩어지더니 각자의 발명품을 가지고 나와 작동시켰다. 낯선 모양의 기계들은 환상적인 느낌이 났다. 배처럼 생긴 기계가 기둥 사이를 날아다니고 물매미같이 생긴 기계는 기둥 사이를 맴돌았다. 발명품을 보여 주려고 차례를 기다리는 아이들은 자기 차례가 오기를 기다리면서 마냥 들떠 있었다.

"이 과일 어때?"

"배가 왜 포도처럼 열렸지?"

"배가 아니고 포도니까 그렇지. 이렇게 큰 포도를 발명

자신만만(自信滿滿) : 아주 자신이 있음. 자신감이 넘침.

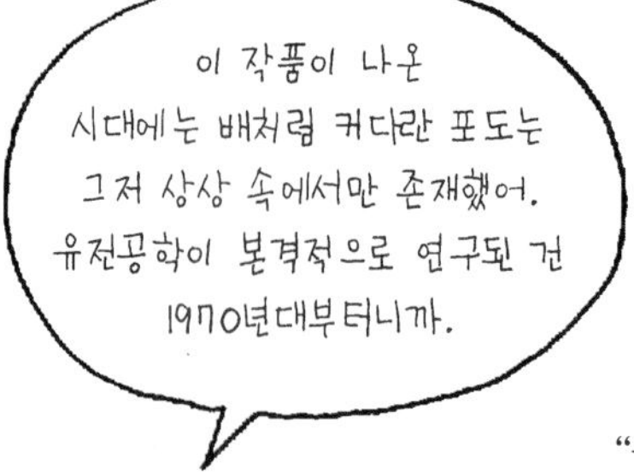

이 작품이 나온
시대에는 배처럼 커다란 포도는
그저 상상 속에서만 존재했어.
유전공학이 본격적으로 연구된 건
1970년대부터니까.

해 냈다고, 내가!"

아이는 스스로가 자랑스러운지 어깨를 으쓱거렸다.

"내 것도 봐 줘. 내 사과 좀 봐."

다른 아이가 큰 사과가 담긴 바구니를 안고 아장아장 걸어 나왔다.

"그건 사과가 아니라 수박이잖아?"

"아니야, 사과야. 그리고 이건 별로 큰 것도 아니야. 내가 세상에 태어나면 모든 사과가 이렇게 커질 거라고!"

아이가 큰소리를 떵떵 쳤다.

"너 재네 봤니?"

처음 틸틸에게 인사를 건넸던 아이가 물었다.

"저기 손을 마주 잡고 입맞추고 있는 아이들 말이니?"

틸틸이 손가락으로 아이들을 가리키며 말했다.

"아이, 우스워. 재들은 사랑하는 사이래. 때의 할아버지가 그러셨어. 저 아이들은 여기서 같은 시간에 나갈 수 없어서 매일 저러고 지내. 백 년인가 이백 년인가 사이를 두고 나간다지."

그 때 한 꼬마가 다른 아이들을 밀치며 헐레벌떡 달려 나왔다.

"형아, 누나!"

틸틸과 미틸은 깜짝 놀라 꼬마를 쳐다보았다. 꼬마는 대뜸 틸틸과 미틸을 껴안더니 마구 입을 맞췄다.

"이렇게 만나게 돼서 반가워! 아이, 좋아라. 난 곧 형이랑 누나의 동생으로 태어날 거야. 벌써 준비는 다 끝났지."

"네가 우리 동생이란 말이야?"

"응. 내년 부활절 전 일요일이니까 조금만 기다리면 만날 수 있을 거야. 우리 집은 어떤 곳이야? 무지무지 궁금해."

"세상에서 제일 좋은 곳이지! 상냥하고 다정한 엄마가 계시니까! 근데 자루 속에 넣고 있는 건 뭐니? 네가 발명한 거야?"

부활절은 교회에서
그리스도의 부활을
기념하는 날이야.

니가 정말 내 동생이란 말이야?
엄마 아빠가 이 소식을 알면 얼마나 기뻐하실까?
좋겠다.
행복해 보여.
형아, 누나. 나는 내년 부활절 전의 일요일에 태어날 거야.

"난 세 가지 병을 가지고 갈 거야. 백일해, 성홍열, 그리고 홍역."

꼬마의 입꼬리가 만족스럽다는 듯 위로 올라갔다.

"뭐? 병을 세 가지나? 그럼 혹시 태어나자마자 죽는 거니?"

틸틸은 몹시 안타까웠다.

백일해는
재채기만으로도 감염되기 쉬운
어린이의 호흡기 전염병이고,
성홍열은 목의 통증과 함께
높은 열이 나고 온몸에 발진이 생기는
전염병이야. 홍역은 가장 일반적인
전염병으로 열과 발진이
주로 나타나지.

"응, 그렇게 정해져 있으니까. 어쩔 수 없어."

그 때 지진이라도 난 것처럼 땅이 쩌렁 울리더니, 그 소리가 점점 가까이 다가왔다. 그리고 현관 너머에서 선명한 파란 빛이 쏟아져 들어왔다.

"저게 무슨 소리지?"

"때의 할아버지가 문을 여는 소리야."

꼬마가 대답했다.

파란 아이들은 발명품들과 하던 일을 내팽개치고 경쟁하듯 문 쪽으로 달려갔다.

"아이들은 왜 저리로 달려가는 거야?"

털털이 꼬마에게 물었다.

"세상으로 나가려고 문 쪽으로 달려가는 거지. 오늘 태어날 아이들이야."

"세상에 어떻게 내려가는데?"

"곧 알게 돼. 어, 때의 할아버지가 나타나셨다!"

"때의 할아버지?"

"세상에 태어날 아이들을 데리러 오는 분이야. 하지만 자기 차례가 아닌 아이들은 아무리 애를 써도 세상에 나갈 수 없어."

그 때 커다란 문이 열리더니 멀리서 세상의 시끄러운 소리가 마치 음악처럼 들려왔다. 그리고 긴 수염을 날리며 때의 할아버지가 나타났다. 한 손에는 기다란 낫을, 다른 한 손에는 모래시계를 들고서 말이다.

"빨리 기둥 뒤로 숨어요! 때의 할아버지한테 들키면 큰일나요."

빛의 요정은 아이들과 함께 다급하게 몸을 숨겼다.

"자, 오늘 태어날 아이들아. 준비는 다 됐겠지?"

아이들은 문 앞으로 몰려들었다. 먼저 나가려는 아이들 사이에는 한 치의 양보도 없었다.

"어어, 한 사람씩! 오늘도 정해진 인원보다 수가 많군. 늘 이런 식이지. 날 속이려고 해도 소용 없다. 요 녀석! 넌 좀 더 기다려야 해. 너도 마찬가지야. 십 년 후에나 보자꾸나."

때의 할아버지는 아이들의 뒷덜미를 잡아 멀리 내려놓았다.

"할아버지, 얘는 나가기 싫대요."

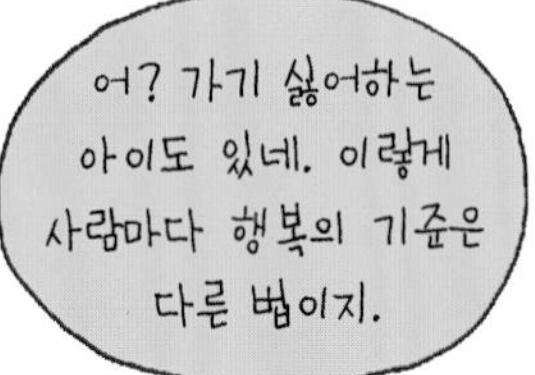

한 아이가 한 발짝 앞으로 나오며 말했다.

"뭐? 그럴 수는 없다. 이건 너희들이 선택할 사항이 아니야. 어서 배를 타고 가라!"

할아버지는 단호하게 가기 싫다는 아이를 밀어넣었다.

"할아버지 저 아이 대신 제가 먼저 갈게요. 엄마, 아빠가 저를 무척 기다리고 계시대요."

한 아이가 두 손을 모으고 간절하게 말했다.

"안 돼! 절대 안 돼! 다 나갈 때가 정해져 있어! 규칙을 어길 수는 없다."

할아버지는 기다란 낫을 한 번 '쿵' 내리치며 아이를 엄하게 쳐다보았다.

그런데 그 때, 때의 할아버지는 세상에 나가야 할 아이들이 도로 돌아가는 것을 보았다. 때의 할아버지는 아이들에게 큰 소리로 외쳤다.

"어디로 도망가려는 게냐? 어서 이리 와!"

"앗, 꼭 저질러야 할 죄가 든 상자를 놓고 왔어요."

"저도 챙겨야 할 약병을 잊고 왔어요."

"배나무에 접붙일 나무를 깜박했어요."

아이들이 세상에 나가
해야 할 일을 깜빡
잊었나보네. 병 같은 것은
가지고 가지 말았으면 좋겠다.

그제야 때의 할아버지는 너그럽게 웃으며 얼른 가지고 오라고 허락해 주었다. 아이들은 잃어버린 물건을 가지러 쏜살같이 달려

갔다.

"앞으로 620초밖에 남지 않았다. 서둘러라, 서둘러! 빨리 배를 타지 못하면 태어나지 못하게 된다. 어허, 새치기하지 마라. 가만, 누가 빠졌는데……. 아, 사랑에 빠진 그녀석이군."

때의 할아버지는 곧 남자 아이를 찾아 냈다. 때의 할아버지와 눈이 마주치자, 남자 아이는 도망逃亡을 치려고 했다. 그러나 때의 할아버지가 한 걸음 다가가 기다란 낫으로 앞을 막았다.

"여자 친구와 함께 남게 해 주세요. 제발요."

남자 아이는 흐느꼈다. 여자 아이는 남자 아이의 어깨를 감싸며 애원했다.

"할아버지 이제 헤어지면 우린 영영 만나지 못할 거예요. 흑흑."

"내 알 바 아니다. 난 정해진 대로 할 뿐이야. 날 원망

도망(逃亡) : 몰래 피해 달아남.

하지 마라."

때의 할아버지는 남자 아이를 붙잡고 매정하게 돌아섰다.

"싫어요, 이거 놓으세요! 이 아이와 함께 있을 거예요!"

남자 아이는 있는 힘을 다해 발버둥을 쳤지만 소용없었다.

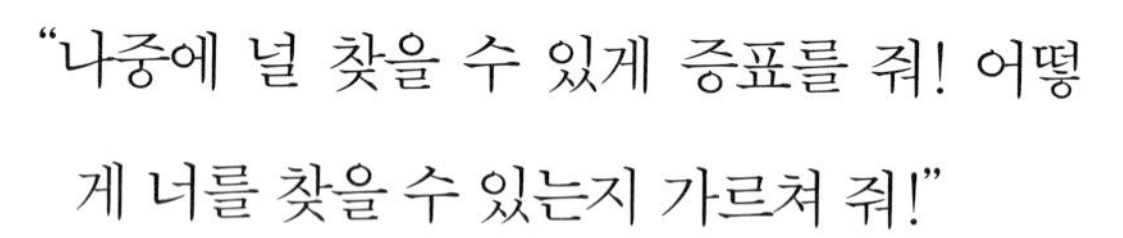

"나중에 널 찾을 수 있게 증표를 줘! 어떻게 너를 찾을 수 있는지 가르쳐 줘!"

여자 아이가 끌려가는 남자 아이를 향해 외쳤다.

"난 너만 사랑할 거야. 세상에 나오면 제일 불행한 사람을 찾아. 그게 나일 테니까."

"알았어. 널 꼭 찾을게."

여자 아이는 그 자리에 주저앉아 하염없이 울었다.

"자, 이제 앞으로 63초밖에 남지 않았다. 늦

내가 나중에
찾을 수 있게
증표를 줘!
영화를 찍어라,
영화를 찍어.
난 너만 사랑할 거야.
그러니 세상에 나오면
제일 불행한 사람을
찾아!
흥,
여자 친구 없는 사람
서러워서 살겠나.

기 전에 어서 타거라!"

그 때 물건을 찾으러 갔던 아이들이 허겁지겁 뛰어왔다. 뚜뚜, 뱃고동 소리가 울려 퍼졌다. 떠나는 아이들과 남은 아이들은 모두 아쉬운 작별 인사를 나눴다.

"잘 있어! 나중에 꼭 만나자!"

"그래, 잘 가! 날 잊으면 안 돼!"

흑,
근데 저 아이들
세상에서 다시 만나도
나이 차이가 너무 많이
나는 거 아냐?
아, 이루어질 수 없는
사랑의 슬픔이여~.

이윽고 시간을 확인한 때의 할아버지는 열쇠와 낫을 흔들며 배가 떠나도 좋다는 신호를 보냈다. 그러자 곧 배가 떠났다. 배는 굉장한 속도를 내며 나아갔다. 시간이 조금 지나자, 세상에 도착한 아이들의 환호성이 들려왔다.

"와, 지구야! 굉장히 아름다워!"

때의 할아버지는 현관문을 닫은 다음 혹시나 하는 마음에 방 안을 살폈다. 그러다 기둥 뒤에 숨어 있던 틸틸, 미틸과 눈이 마주쳤다.

"너희들은 누구냐? 여기서 뭘 하는 거지? 얼굴도 파랗지 않은 것들이 어떻게 여길 들어왔느냐?"

때의 할아버지는 날카로운 낫을 위협적으로 휘두르며 아이들 앞으로 성큼성큼 다가왔다. 어두운 표정으로 빛의 요정이 재빨리 말했다.

"대답하지 말아요! 파랑새는 내가 가지고 있어요. 이 베일 안에요. 자, 얼른 다이아몬드를 돌려요."

틸틸이 다급하게 다이아몬드를 돌린 덕분에 그들은 무사히 그 곳을 빠져 나올 수 있었다.

9장
헤어짐

어느 새 여행을 떠난 지도 1년이 흘렀다. 파랑새를 찾으러 떠났던 일행들은 다시 틸틸과 미틸의 집으로 돌아왔다.

“여기가 어디지요?”

“도련님이 태어나서 지금까지 살아온 집이잖아요. 기억 안 나세요?”

틸틸은 집 주위를 보며 한참 생각에 잠겼다.

“아, 맞아요. 맞아. 이 현관문, 그리고 손잡이……. 기억났어요! 우리 집이에요!”

틸틸은 곧장 집 안으로 들어가려고 했다.

"조금만 기다리세요. 엄마, 아빠는 주무시고 계시니까요."

빛의 요정이 쓸쓸하게 말했다.

"왜 그러세요? 얼굴이 창백蒼白해요."

"도련님과 헤어질 생각을 하니……. 슬퍼서요."

"헤어지다니 무슨 말씀이세요?"

"제 할 일이 끝났어요. 이제 곧 요술쟁이 베릴륀 할머니가 파랑새를 가지러 올 거예요."

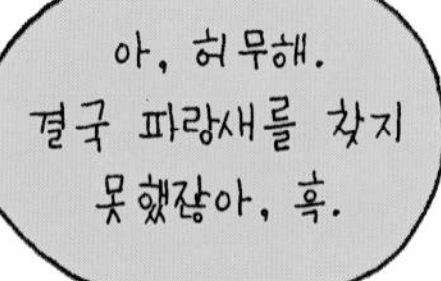

아, 허무해.
결국 파랑새를 찾지 못했잖아, 흑.

"하지만 파랑새를 못 찾았는걸요? 추억의 나라에서는 파랑새가 까맣게 변했고, 밤의 궁전에서 가져온 파랑새는 모두 죽어 버렸잖아요. 숲 속에서는 한 마리도 못 잡았고, 미래의 나라에서는 파랑새를 보지도 못했는데……. 제가 잘못한 게 있어서 그런 걸까요?"

"자책하지 마세요. 우리는 최선을 다 했어요.

창백(蒼白) : 얼굴에 핏기가 없고 푸른 기가 돌 만큼 해쓱함.

어쩌면 파랑새 같은 건 원래 없었는지도 모르죠."

빛의 요정이 담담하게 말했다. 이어서 빵의 요정이 입을 열었다.

가마에서는 빵뿐만 아니라 피자와 같이 맛있는 음식을 구워 만들 수 있어.

"도련님뿐만 아니라 여기 계신 여러분은 이제 절 볼 수 없으실 거예요. 하지만 도련님, 제가 다시 말을 할 수 없다고 해도 식탁 위, 가마 속, 바구니 안에 늘 제가 있다는 걸 기억해 주세요. 저는 당신의 진정한 친구로서……."

불의 요정이 작별 인사를 하고 있는 빵의 요정의 말을 끊었다.

"이러다 밤새겠군. 다른 사람은 언제 인사하라고?"

"네, 시간이 얼마 없어요. 자, 어서 도련님과 아가씨에게 작별 인사를 하세요."

빛의 요정이 부모님이 깰까 봐 집 안의 기척에 귀를 기울이며 말했다.

"안녕, 도련님! 안녕, 아가씨! 뭐든 익힐 것이 있으면 저를 사용해 주세요!"

헤어짐이 섭섭한 불의 요정은 감정이 앞서 틸틸과 미틸에게 입을 맞췄다.

"앗, 뜨거워!"

틸틸은 그만 코를 데고 말았다. 하지만 화를 낼 수 없었다. 여행을 하는 동안 미운 정, 고운 정이 많이 들었기 때문이다.

저는 지금 틸틸과
그 일행들이 이별하는
현장에 나와 있습니다.
정말이지 눈물이 앞을
가리는군요.

"불은 어쩜 자기밖에 모른다니까. 도련님, 전 뜨겁지 않으니까 우리 뽀뽀해요."

물의 요정이 틸틸 앞으로 바싹 다가왔다.

"안 돼요! 그랬다간 물에 빠진 생쥐 꼴이 될걸요."

불의 요정이 고소하다는 듯 말했다. 물의 요정은 불의 요정과 한바탕 티격태격하고는 곧 작별 인사를 건넸다.

"어느 물 속에나 제가 있다는 걸 잊지 마세요! 해가 질 무렵 숲 속의 샘터를 찾는다면 샘물이 속삭이는 소리에 귀를 기울이세요. 그럼 제 목소리를 들을 수 있을 거예요. 흑흑, 더, 더 이상은 눈물이 나서 말을 못 하겠어요."

"저는 우유병 안에 있을 거예요."

머뭇거리던 우유의 요정이 수줍어하며 작은 목소리로 말했다.

"도련님, 아가씨! 마음 한 구석에 언제나 친절親切했던 사탕을 잊지 말아 주세요. 더 이상 할 말이 없네요. 눈물이라도 흐르면 제 몸이 녹아 버리거든요."

사탕의 요정은 눈물을 겨우 참으며 엄숙하게 말했다.

틸틸과 미틸도 헤어지는 것이 섭섭해 눈물이 났다. 그 때 어디선가 날카로운 고양이의 비명이 들렸다.

"틸레트가 또 틸로한테 맞고 있나 봐. 틸레트! 어디 있니?"

미틸은 깜짝 놀라 고양이를 찾아다녔다. 곧 고양이가 헐레벌떡 뛰어나왔다. 털이란 털은 온통 헝클

헐레벌떡이란 숨을
거칠게 몰아쉬며 헐떡이는
모양을 일컫는 말이야. 아마
틸레트는 죽을 힘을 다해
뛰어왔나 봐.

친절(親切) : 남을 대하는 태도가 정성스럽고 정다움.

어지고 옷은 갈기갈기 찢어져 있었다. 그 뒤를 개가 미친 듯이 쫓아왔다. 개는 고양이를 물어뜯고, 발로 걷어찼다. 고양이는 바닥에 쓰러져서 제 성질에 못 이겨 서럽게 울부짖었다.

"억울해요. 개가 저만 보면 물어뜯고 때려요. 전 아무 잘못도 없는데요."

"너 아직도 정신을 못 차렸구나. 잘못한 게 없다고? 다신 거짓말을 못 하게 해 주지."

개는 발길질을 멈추지 않았다.

"틸로, 그만 해, 그만!"

틸틸이 소리치며 개를 말렸다.

"어떻게 헤어지는 순간까지 싸움질이에요?"

고결한 성품性品의 빛의 요정도 이 순간만은 화를 냈다.

"헤어지다니요? 무슨 말씀이세요?"

성품(性品) : 성질과 됨됨이.

함께 여행하는 동안 정말 즐거웠는데…….
벌써 헤어지다니. 너무 슬퍼요, 흑흑.
빛의 요정님 떠나지 마세요!
이렇게 이야기 나눌 수 있는 더 좋단 말이에
달빛 속에서, 별빛 속에서, 햇빛 속에서 항상 지켜볼게요.

틸로가 깜짝 놀라 물었다.

"이제 우리는 예전처럼 말을 못하게 될 거예요."

빛의 요정이 상황을 설명하자, 개는 너무나 슬픈 나머지 아이들을 왈칵 끌어안고 말했다.

"싫어요, 도련님! 저는 도련님과 이렇게 말을 하면서 지내고 싶어요. 엉엉."

"착하신 두 분. 저는 두 분이 정말 좋아요."

앙큼한 고양이는 끝까지 아첨阿諂을 했다.

"자, 이제는 내 차례예요."

빛의 요정은 아이들에게 입을 맞췄다. 틸틸과 미틸은 헤어지기 싫어 빛의 요정을 꽉 붙들었다.

"싫어요, 싫어! 떠나지 말아요. 우리 함께 지내요, 네?"

"착한 아이는 우는 게 아니에요. 난 밝은 달빛 속에, 반짝반짝 빛나는 별빛 속에, 환하게 솟아오르는 아침 햇빛 속에, 매일 켜지는 등불 속에 있어요. 그리고 도련님과 아

아첨(阿諂) : 남에게 잘 보이려고 알랑거리며 비위를 맞춤.

가씨 마음 속에도 항상 함께 할 거예요."

그 때, 벽시계가 여덟 번 울렸다. 첫번 째 종이 울리자 모두들 화들짝 놀라 시계를 보았다. 종이 여덟 번 울리는 동안 틸틸과 미틸의 얼굴은 점점 울상이 되어갔다.

"이제 헤어질 시간이에요. 자 들어가세요, 어서요!"

틸틸과 미틸은 발걸음이 떨어지지 않았지만 빛의 요정이 문 안으로 살며시 밀어넣는 바람에 집 안으로 들어갈 수밖에 없었다. 아이들이 안으로 들어가자 바로 문이 닫혀 버렸다. 그렇게 그들은 헤어졌고 기나긴 여행은 끝이 났다.

틸틸과 미틸은 여전히 곤히 잠들어 있었다. 개와 고양이도 몸을 둥글게 만 채 그대로 자고 있었다. 모든 것이 파랑새를 찾으러 가기 전과 조금도 달라지지 않았다.

그 때 엄마가 상쾌하게 웃으며 방 안으로 들어왔다.

"자, 일어나. 우리 잠꾸러기들. 벌써 8시가 넘었단다."

엄마는 허리를 숙여 아이들에게 입을 맞췄다. 그래도 아이들이 일어나지 않자 가만히 흔들어 깨웠다. 그러자 틸틸이 간신히 눈을 떴다.

"어, 빛의 요정님은 어디 갔지?"

"빛의 요정? 그게 무슨 소리니? 해가 뜬 지 꽤 됐는걸."

엄마는 창문을 활짝 열어젖혔다.

미틸도 기지개를 켜며 잠에서 깨어났다.

"엄마다! 엄마 맞죠?"

"와, 엄마! 다시 만나게 돼서 기뻐요."

틸틸과 미틸은 엄마를 껴안고 양 볼에 뽀뽀를 했다.

"무슨 소리니, 얘들아. 아직 잠이 덜 깼니? 어디 아픈 건 아니야? 어디 '아!' 해 봐. 아픈 데는 없는 것 같은데……."

엄마는 정말
황당하겠는걸. 자다 일어난
아이들이 꼭 이산가족 상봉하는
것처럼 행동하잖아.

"엄마, 우리가 없는 동안 쓸쓸하셨죠? 아빠는요?"

틸틸과 미틸은 너무 오랫동안 집을 비워서 엄마나 아빠에게 미안했다.

"아까부터 무슨 소릴 하는 거니?"

"우린 추억의 나라에 가서 할아버지, 할머니를 만났어요. 죽은 동생들도 만났고요. 행복의 궁전에서는 엄마의 기쁨을 만났지요."

"도대체 무슨 소린지 모르겠구나."

틸틸은 미소를 지으며 엄마의 얼굴을 바라보았고, 미틸은 엄마에게 연신 뽀뽀를 했다.

"엄마는 참 예뻤어요. 하지만 지금 엄마가 더 좋아요!"

"나도, 나도!"

엄마는 아이들의 말에 감동했지만, 아이들이 걱정돼 아빠를 불렀다. 아빠는 장작長斫을 패다 말고 들어왔다.

장작(長斫): 통나무를 잘라서 쪼갠 땔감으로 쓸 나무.

"야, 아빠다, 아빠!"

아이들이 동시에 반갑게 외쳤다.

"여보, 무슨 일이야? 애들이 아픈 것 같지는 않고, 얼굴색이 오히려 좋은걸."

아빠는 아이들이 왜 몇 년 못 본 사람들처럼 인사를 하는지 알 수 없었다. 엄마는 아이들이 걱정돼서 훌쩍거렸다.

그 때 현관문을 두드리는 소리가 들렸다. 아빠가 문을 열자 이웃집 베를랭고 할머니가 지팡이를 짚고 들어왔다.

"안녕하시오. 메리 크리스마스!"

"아, 요술쟁이 베릴륀 할머니다!"

틸틸이 반가운 나머지 한달음에 뛰어나갔다.

"잘 잤니, 틸틸? 미틸도?"

"할머니, 죄송해요. 파랑새를 찾지 못했어요."

틸틸과 미틸은 할머니한테 진심眞心으로 사과했다.

진심(眞心) : 참된 마음. 참마음.

마음의 병은 세상에서
제일 무서운 병이야.
확실한 치료제를
알 수 없으니까.

"무슨 소리냐?"

뜬금없는 아이들의 사과에 어리둥절한 할머니는 엄마를 쳐다보았다.

"저한테 물으셔도 소용 없어요. 저도 아이들이 무슨 얘기를 하는지 모르겠어요. 따님은 좀 어떠세요?"

"의사 선생님이 마음의 병이라고 하더군요. 난 그 병에 잘 듣는 약을 알고 있어요. 좀 전에도 그걸 달라고 졸라 댔다우."

"아, 틸틸의 새 말이군요. 틸틸, 너 그 새를 할머니에게 드리면 어떻겠니?"

엄마는 은근慇懃히 부탁하는 말투였다.

"물론이죠. 파랑새가 아니어도 괜찮나요?"

틸틸은 새장 앞으로 갔다. 그런데 이상한 일이 일어났다. 분명히 회색이던 산비둘기가 파란색으로 변해 있었던

은근(慇懃) : 드러나지 않음.

것이다.

"미틸, 파랑새야! 우리가 그토록 찾아 헤매던 파랑새!"

"와, 정말 파랑새네."

틸틸은 의자 위에 올라가서 새장을 내린 다음 베를랭고 할머니에게 내밀었다.

"할머니, 가져 가세요. 좀 있으면 아마 완전히 파랗게 변할 거예요."

"정말 주는 거니? 딸아이가 엄청 좋아할 거다. 정말 고맙다."

그렇게 찾았던
파랑새가 바로 집 안에
있었어! 이럴 수가!

할머니는 틸틸에게 입을 맞췄다.

"엄마, 집 안이 훨씬 깨끗해진 것 같아요. 페인트칠을 다시 했나요? 같은 색인데 훨씬 밝아 보여요. 작년엔 이렇지 않았는데……."

엄마와 아빠는 또 다시 어리둥절해졌다.

"그리고 저 숲을 좀 보세요. 어쩜 저렇게 넓고 깨끗하지요? 마치 다른 숲 같아요. 빵은 어디 있지? 요 녀석, 꼼짝도 안 하고 있네. 그리고 틸로는 여전히 자고 있구나.

틸로, 넌 정말 용감했어. 네가 있어서 여행 내내 든든했어."

"오빠, 틸레트도 깼어. 아, 이제는 날 봐도 말을 못 하네."

틸틸과 미틸은
이제 주변의 것들이
새롭게 보이는
모양이구나.

"그래, 이제 모두 말을 못 하게 됐어."

두 아이는 개와 고양이가 말을 할 수 없는 것이 안타까웠다. 하지만 아이들의 신경은 온통 새롭게 보이는 것들에 쏠려 있었다.

또다시 현관문 두드리는 소리가 났다. 이웃집 할머니가 이번에는 딸과 함께 들어왔다. 할머니의 딸은 고운 머리카락을 가지고 있는 예쁘장한 여자 아이였다. 그 아이는 틸틸의 파랑새를 꼭 안고 있었다.

"기적奇跡이에요!"

할머니는 기뻐하며 눈물을 흘렸다.

"어머, 놀라워라. 걸을 수 있다니!"

기적(奇跡) : 상식으로는 생각할 수 없는 이상야릇한 일.

병약하던 손녀가 이렇게 걸을 수 있다니! 기적이에요, 기적!
이제는 뛸 수도 있다우, 훌쩍~. 아니, 춤도 춘다니까. 흑~.
얘 어디서 본 것 같은데?
다 너희들과 파랑새 덕분이야.
파랑새가 마음에 드니?

베를랭고 할머니는
얼마나 기쁠까. 마치
심 봉사가 눈을 떴을 때
심청이가 느꼈던 기분이랑
비슷할 거야.

엄마는 놀라서 입을 다물 수 없었다.

"이제는 뛸 수도 있어요. 아까는 춤도 췄는걸요. 틸틸이 준 새를 밝은 데서 보겠다고 창가로 가는데 꼭 새처럼 나는 것 같았다우."

틸틸은 여자 아이에게 가까이 다가서다가 깜짝 놀랐다. 여자 아이가 빛의 요정과 똑같이 생겼던 것이다.

"틸틸에게 고맙다고 인사하렴."

베를랭고 할머니가 딸에게 말했다. 틸틸은 쑥스러워서 머뭇거리다가 여자 아이의 뺨에 입을 맞췄다. 두 아이는 아무 말도 없이 서로를 바라보고 서 있었다.

"새가 마음에 드니?"

"응. 정말 고마워."

"진짜 파랑새를 찾으려고 했는데 그러지 못했어."

"괜찮아. 이 새도 예쁜걸?"

여자 아이는 틸틸을 보고 빙긋 웃었다.

"자, 새에게 모이 먹이는 법을 가르쳐 줄게."

틸틸은 여자 아이에게 새를 받으려고 하다가, 그만 새를 놓쳐 버리고 말았다. 파랑새는 창문 밖으로 자유로이 날갯짓을 하며 날아가 버렸다. 여자 아이는 울음을 터뜨렸다.

"파랑새가 날아가 버렸어!"

틸틸은 여자 아이를 위로했다.

"실망하지 마! 행복을 위해 꼭 필요한 파랑새는 멀리 있지 않거든."

이쯤이면 파랑새가
무엇을 상징하는지
알았겠지?

PART 3

깊어지는 논술

우리의 행복은 어디 있는지
생각해 볼까?

깊어지는 논술

파랑새 (L' Oiseau bleu)

〈파랑새〉는 벨기에 태생의 프랑스 작가 마테를링크의 동화극입니다. 러시아의 위대한 연출가 스타니슬라프스키의 연출로 1908년 모스크바 예술 극장에서 처음 공연되어 큰 호평을 얻었다고 합니다. 또한 1911년 작가가 노벨 문학상을 수상하는 데 큰 역할을 했습니다.

틸틸과 미틸 남매가 크리스마스 전날 밤에 꾼 꿈이 〈파랑새〉의 내용입니다. 틸틸과 미틸 남매는 요술쟁이 베릴륀의 부탁을 받고 요정들과 함께 파랑새를 찾으러 떠납니다.

〈파랑새〉는 행복은 멀리 있는 것이 아니라 가까이에 있다는 내용을 아름답고 환상적인 동화 속에 담고 있습니다. 이 작품은 인생에 대한 깊은 성찰을 담고 있다는 평가를 받고 있으며, 전 세계 아이들에게 꾸준히 읽히고 있습니다.

▼ 행복은 어디에 있었나요? 가까이, 바로 여러분 곁에 있답니다.

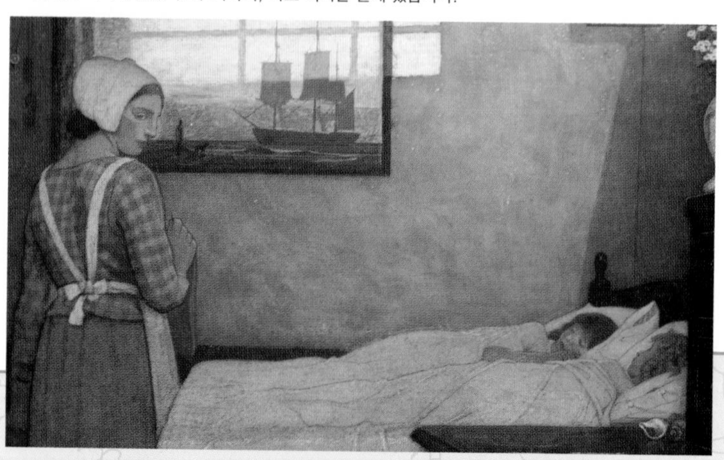

M. 마테를링크 (Maurice Maeterlinck, 1862~1949)

모리스 마테를링크는 벨기에에서 태어나 프랑스 어로 작품을 썼습니다. 그는 파리에서 여러 상징파 시인들의 영향을 받아, 죽음과 운명을 노래한 시집 〈온실〉(1889)을 발표하지만, 인정받지 못했습니다. 그 후 희곡 〈발렌 왕녀〉(1889)와 〈펠레아스와 멜리상드〉 등을 발표하며 평론가들로부터 극찬을 받게 됩니다.

마테를링크는 운명처럼 대항할 수 없는 힘에 조종되는 영혼의 세계를 표현했습니다. 이러한 신비주의적 경향은 〈몬바바나〉(1902), 〈파랑새〉(1908) 이후에도 계속되었습니다. 1911년에는 노벨 문학상을 수상했습니다.

〈파랑새〉의 희곡도
한번 읽어 보렴.

◀ 그는 노벨 문학상을 받을 만큼 위대한 작가랍니다.

생각의 날개를 펼쳐요!

행복이란 과연 무엇일까요?

여러분, 〈파랑새〉를 재미있게 읽었나요? 〈파랑새〉는 오랫동안 파랑새를 찾으러 다녔던 틸틸과 미틸이 결국 자신들의 집에서 파랑새를 발견하게 된다는 이야기입니다. 여러분은 〈파랑새〉에 담긴 작가의 생각을 이해할 수 있었나요?

추억의 나라에서 할머니와 할아버지는, 아이들이 추억을 상기시키는 순간 잠에서 깨어납니다. 틸틸과 미틸의 동생들도 마찬가지지요. 이처럼 아름다운 추억을 잊지 않고 간직한다면 그것은 절대 사라지지 않습니다. 죽은 사람과도 대화를 나누고, 손을 붙잡고, 입을 맞출 수 있을 정도로 아주 생생하게 존재할 수 있답니다.

틸틸과 미틸은 밤의 궁전에서 전쟁, 침묵, 유령, 병 등 무시무시한 존재들을 만납니다. 그러나 틸틸은 어떤 어려움이 닥쳐도, 아무리 두려워도 포기하지 않습니다. 마침내 틸틸과 미틸은 수없이 많은 파랑새를 발견하게 되지요. 온갖 어려움을 이겨 내고 파랑새를 찾았을 때 틸틸은 얼마나 행복했을까요? 여러분도 참고 노력해서 좋은 결과를 얻었을 때 어떤 기분이 들었는지 기억을 떠올려 보세요.

숲 속에서 틸틸과 미틸은 나무들과 동물들의 공격으로 위기에 빠집니다.

나무들과 동물들은 왜 틸틸과 미틸을 공격하는 것일까요? 나무들은 아이들의 아빠인 나무꾼이 나무를 벤 것이 나무들을 괴롭히고 싶어서였다고 생각합니다. 나무꾼은 생계를 위해서 나무를 벤 것인데 말이지요.

이처럼 같은 상황이라도 각자의 입장은 다릅니다. 나무꾼과 나무들의 입장이 상반되는 것처럼 다른 사람의 행복이 나의 행복이 될 수는 없을 거예요. 그런데 여러분은 남의 행복을 부러워하거나 시기한 적은 없었나요?

행복의 궁전에서는 뚱뚱한 사치들을 만나 봤지요? 뚱뚱한 사치들은 1년 내내 먹고 놉니다. 하지만 여러분은 그들의 진짜 모습이 밝혀지던 끔찍한 순간을 기억할 거예요. 실제로 그들은 누더기차림이었고 웃는 얼굴은 가면일 뿐이었지요.

우리는 주변에서 그런 사람들을 종종 볼 수 있지요? 남에게 과시하기 위해서 값비싼 옷으로 치장하고 자신의 목표를 달성하기 위해서 웃음으로 위장하는 사람들을요. 하지만 진실로 행복하기 위해서는 자기 자신을 속이는 어리석은 행동 따위는 하지 말아야 합니다.

행복의 궁전에서 틸틸과 미틸은 많은 행복들과 기쁨들을 만납니다. 틸틸은 자신이 살던 집에 많은 행복들이 있었다는 것을 알고 깜짝 놀랍니다. 그리고 평범한 엄마의 참된 모습이 무척 아름답다는 것을 알고 더욱 놀라지요. 틸틸은 평소에는 그것들을 발견하지 못했었거든요.

우리는 종종 가까이 있는 것들이 주는 기쁨을 잊고 삽니다. 맑은 공기가 없다고 생각해 보세요. 그리고 깨끗한 물이 없다고 생각해 보세요. 우리가 미처 깨닫지 못했던 곳에서도 얼마든지 행복을 발견할 수 있을 거예요.

이처럼 틸틸과 미틸 그리고 요정들은 여러 나라를 여행하고 집으로 돌아옵니다. 파랑새를 발견하지는 못했지만, 집으로 돌아온 아이들은 많이 달라져 있었지요. 아이들은 이제 마음의 눈으로 세상을 보게 되었습니다. 그러자 새장 안에 있던 비둘기가 사실은 파랑새였다는 것을 깨달을 수 있었지요. 행복은 사실 아주 가까운 곳에 있었던 것입니다.

사람들은 모두 행복하게 살고 싶어합니다. 그렇다면 행복하기 위해서는 어떻게 살아야 할까요? 빠르게 변하는 세상 속에서 우리가 자칫 잃어버리기 쉬운 것들을 돌아보는 삶 속에 진정한 행복이 숨어 있지는 않을까요?

PART 4

논술 워크북

논술 워크북

1-1 파랑새는 무엇을 뜻할까요? 틸틸이 만났던 '행복'이 까르르 웃으면서 "도련님은 정말 파랑새가 어디에 있는지 모르나 봐. 세상 사람들은 다 저렇다니까."라고 한 말의 뜻도 함께 말해 보세요.

1-2 틸틸은 웃지 않는 '기쁨'을 만났을 때 웃지 않는 그들이 왜 커다란 기쁨인지 궁금했습니다. 이 때 빛의 요정이 "웃을 때가 가장 행복한 건 아니랍니다."라고 대답해 줍니다. 이 말은 무슨 뜻일까요?

HINT

파랑새는 사람들이 진정 소중하게 생각하는 것은 정작 가까이 있다는 것을 가르쳐 주는 것이 아닐까요?
빛의 요정이 말해 준 정의의 기쁨, 선행의 기쁨, 생각하는 기쁨, 일을 끝낸 후의 기쁨, 앎의 기쁨과 같은 예의 뜻을 생각해 보아요.

2 틸틸과 미틸의 아버지는 나무꾼입니다. 틸틸과 미틸이 파랑새를 찾으러 가는 길에 만난 나무와 동물들은 나무꾼의 자식인 틸틸과 미틸을 죽이려고 합니다.

이 이야기처럼 실제로도 나무와 동물들이 마음을 가지고 있다면 나무와 동물들 모두가 사람을 미워할까요? 여러분은 혹시 사람과 자연이 서로 돕고 사랑하는 사이라고 느낀 적은 없나요? 사람과 자연이 더 많이 사랑할 수 있는 방법을 알고 있다면 함께 이야기해 보세요.

HINT

사람들은 먹고 살아야 하기 때문에 동물이나 나무에게 해를 입히는 경우가 있습니다. 사람과 나무, 동물이 서로에게 고마워하고 서로를 도울 수 있는 방법은 없을까요?

3 틸틸과 미틸은 추억의 나라에서 돌아가신 할머니, 할아버지와 죽은 동생들을 만납니다. 추억의 나라에는 옛 물건이나 사람들이 옛 모습 그대로 있습니다. 추억의 나라에서 만난 틸틸의 할머니가 "누군가 우리를 생각하면 바로 우리는 잠에서 깨어나 그 사람을 만나러 간단다."라고 한 말 기억나지요?
추억의 나라에서는 누군가 여러분이 기억해 주었으면 하고 기다리고 있을지도 몰라요. 깜빡 잊었다면 지금 그 사람을 깨어나게 해 주세요.

HINT

틸틸과 미틸이 떠난 추억의 나라에는 부러진 시계 바늘, 벽의 낙서, 갖고 놀던 팽이가 모두 그대로입니다. 가족뿐만 아니라 친구들과 어울렸던 행복한 시간도 추억의 나라에 간직되어 있답니다.

4 파랑새는 내 가까이에 있는 행복을 뜻하기도 하고, 꼭 이루고 싶은 꿈을 뜻하기도 합니다. 그렇다면 여러분의 파랑새는 무엇인지 깊이 생각해 보세요.

HINT

틸틸과 미틸에게 파랑새는 병을 앓는 소녀를 구하고 싶은 마음이었습니다. 남을 돕고 싶어했던 마음이 곧 파랑새였던 거죠. 아무런 대가를 바라지 않으면서 파랑새를 찾아 떠날 때, 이미 아이들의 마음 속에는 파랑새가 있었던 것입니다.

5 틸틸과 미틸은 미래의 나라에서 앞으로 태어날 아이들과 만납니다. 아이들은 자신들이 태어날 날만 손꼽아 기다리며 미래를 대비해 발명품을 만들어 놓고 있습니다. 서로 먼저 태어나려고 아우성치기도 합니다.
틸틸과 미틸의 미래의 동생은 태어나자마자 백일해, 성홍열, 홍역을 앓다가 죽을 운명인 것을 이미 알고 있습니다. 그러면서도 앞으로 태어날 일에 대해 기대를 갖습니다.
이 장면을 떠올리며 다음의 물음들에 답해 보세요.

〈질문〉

1 다른 집에 태어났더라면 하고 생각해 본 적이 있나요?

2 어떤 나라의 어떤 집에 태어났다면 더 좋았을까요?

3 자기 운명을 미리 알고 사는 것이 더 좋을까요, 아니면 모르는 것이 더 좋을까요?

4 태어나는 것과 태어나지 않을 것을 마음대로 정할 수 있다면 어떤 선택을 할까요?

5 여러분은 지금 태어나 있다는 사실에 대해 어떤 생각이 드나요? 기쁘고 즐거운 마음이 생기나요?

위 질문들의 답을 생각하면서, 틸틸이 태어나자마자 죽을 자기 동생에게 "뭐? 병을 세 가지나? 그럼 혹시 태어나자마자 죽는 거니?"라고 물었던 것에 대해 답해 보아요. 사람은 저마다 삶의 길이에서 조금 차이가 있을 뿐, 어차피 모두 죽게 되어 있습니다. 여러분은 탄생의 의미에 대해 어떻게 생각하나요?

〈보기〉

주장 1 어차피 죽을 것이라면 태어나는 것은 의미가 없다.

주장 2 죽을 운명이라고 해도 태어나는 것은 의미가 있다.

주장 3 ______

- **나의 주장 :**

- **주장에 대한 이유 :**

6 다 쓴 글을 친구나 부모님 앞에서 발표해 보세요. 그리고 듣는 사람이 고개를 끄덕이는지 아니면 고개를 갸우뚱하는지 반응도 살펴보세요. 발표가 끝난 후 평가도 부탁해 보세요.

가이드북

GUIDE BOOK

가이드북

〈파랑새〉에 대하여

〈파랑새〉는 원래 동화가 아니라 6막 12장으로 구성된 희곡 작품입니다. 마테를링크는 〈파랑새〉를 통해 사람이 살아가면서 잊지 말아야 할 질문들, 즉 '행복은 무얼까?', '고통은 무엇 때문에 생기는 걸까?' 하는 물음을 던져 주었습니다. 그는 1911년에 노벨 문학상을 탔습니다.

혹시 '파랑새 신드롬'이라는 말을 들어 본 적이 있나요? 파랑새 신드롬이란 앞으로 올 행복을 꿈꾸느라 지금 하고 있는 일에 대해 열정을 쏟지 않는 현상을 말합니다. 하지만 지금 하고 있는 일을 열심히 하지 않는다면 과연 '미래의 그 행복'이 있을까요?

작품의 전체 줄거리

크리스마스 전날 밤에 가난한 나무꾼의 아이들인 틸틸과 미틸은 앞집의 파티를 보며 부러워합니다. 이 때 요술쟁이 할머니가 나타나 아픈 딸을 위해 파랑새를 찾아 달라고 부탁합니다. 모험을 떠날 때 요술쟁이 할머니는 틸틸과 미틸에게 눈으로 볼 수 없는 것들을 보게 해 주는 요술 모자를 줍니다.

틸틸과 미틸은 먼저 추억의 나라로 갑니다. 그 곳에서 돌아가신 할아버지와 할머니를 만납니다. 여기서 얻은 파랑새는 추억의 나라를 벗어나자 검은 새로 변합니다. 그 다음에는 밤의 궁전과 숲 속에서 무서운 일을 겪습니다. 특히 숲 속에서 나무들과 동물들은 틸틸을 죽이려고 합니다. 틸틸과 미틸은 어려움에 처하지만 다행히 빛의 요정이 그들을 구해 줍니다. 이어서 틸틸과 미틸은 행복의 궁전으로 파랑새를 찾으러 갑니다. 여기서 행복들과 더불어 엄마 사랑의 기쁨을 만나기도 합니다. 마지막으로 틸틸과 미틸은 미래의 나라에도 가는데, 여기서 만난 미래의 동생에게 틸틸과 미틸은 우리 집이 세상에서 가장 좋은 곳이고, 엄마는 상냥하고 다정한 분이라고 알려 줍니다.

여행을 끝낸 틸틸과 미틸은 집으로 돌아옵니다. 다음 날 아침, 잠에서 깨어난 틸틸과 미틸은 새장 속의 산비둘기가 파랑새로 변해 있는 것을 발견하고는 파랑새를 옆집 할머니와 그 딸에게 줍니다. 그리고 행복이 먼 곳에 있는 것이 아니라 늘 가까운 곳에 있다는 것을 깨닫습니다.

〈파랑새〉의 의미

'파랑새' 는 행복, 이루고 싶은 꿈을 의미합니다. 아직 이루지 못한 것, 그리고 이미 내 옆에 와 있는 행복을 뜻하기도 하지요. 만일 허황된 꿈만 좇는다면 그 사람은 추억의 나라나 밤의 궁전에서 틸틸과 미틸이 겪은 것처럼 파랑새를 잡을 뻔하다가 놓치는 일을 반복할 것입니다. 그리고 끝내 파랑새를 손에 쥐지 못할 것입니다.

하지만 틸틸과 미틸은 행복의 궁전에서 매일매일 그들을 돌봐 주던 엄마의 사랑이 얼마나 따뜻한 것이었는지를 '엄마 사랑의 기쁨' 과 만난 뒤 깨닫습니다. 아이들의 주변에는 이미 행복이 가득했던 것이지요. 그리고 아이들은 여행을 끝내고 돌아왔을 때 집에 있던 산비둘기가 파랑새로 변해 있는 것을 봅니다.

그러나 이렇게 애써 찾은 파랑새는 곧 날아가 버립니다. 이 때 틸틸은 "실망하지 마! 행복을 위해 꼭 필요한 파랑새는 멀리 있지 않거든."이라고 말합니다. 아이들은 행복의 진정한 의미를 깨달은 것입니다.

1-1 사고 영역 _ 사실적 이해

본문의 내용을 잘 이해했는지, 이해한 것을 잘 전달할 수 있는지를 알아보기 위한 문제입니다.

행복들을 만나는 장면에서 파랑새가 곧 행복을 뜻한다는 것이 분명해집니다. 행복의 궁전에서 틸틸과 미틸은 여러 행복들과 인사를 나눕니다. 그리고 이 행복들이 바로 자기 집에 가득하다는 것도 알게 됩니다. 건강, 맑은 공기, 푸른 하늘, 숲, 햇볕, 석양, 어둠, 비, 난롯불, 이슬 속을 맨발로 다니는 것 등이 모두 틸틸과 미틸의 곁에 가득한 행복들입니다. 그런데도 틸틸은 파랑새가 어디에 있냐고 묻습니다. 그러자 행복들이 까르르 웃으며 사람들은 모두 행복이 바로 곁에 있는데도 찾으러 다닌다고 대답한 것입니다.

CHECKPOINT

소설에 담긴 주제가 가장 잘 드러나는 대목을 찾도록 하는 물음입니다.

1-2 사고 영역 _ 사실적 이해

본문 내용에서 이해한 내용을 자기 주변의 일과 관련시켜 생각해 보는 능력을 키우기 위한 문제입니다.

크게 소리 내어 웃지 않더라도 마음 속 깊이 흡족한 느낌이 들 때가 있습니다. 이것을 여기서는 '기쁨' 이라고 말하고 있습니다. 물론 운동 경기에서 이기면 '기쁘다' 고 하면서 웃습니다. 이렇게 우리가 평소 쓰는 '행복' 이나 '기쁨' 의 뜻은 잠시 잊어버리고, 이 책에서 말하고 있는 뜻에 주의를 기울여 보세요.

그리고 '기쁨' 을 느낄 수 있는 여러 가지 일들을 떠올려 보세요. 착한 일을 했을 때나 새로운 지식이나 정보를 깨달았을 때, 여러분은 가슴 속으로 무한한 기쁨을 느낄 수 있을 것입니다.

CHECKPOINT

추상적인 주제와 내용을 주변의 구체적인 일들과 관련시켜 보는 훈련을 꾸준히 해야 생동감 있는 글을 쓸 수 있게 됩니다.

2 사고 영역 _ 비판적 사고

물음에 답하는 과정에서 비판의 눈을 뜨게 됩니다. 우리가 익숙하게 받아들이고 있는 것들, 책 속에 담긴 관점에 혹시 잘못된 점은 없는지 점검합니다.

우리가 쓰는 종이, 연필, 가구 등은 모두 나무로 만들어져 있습니다. 그러나 나무를 이용하여 살아간다는 이유로 나무들의 원망과 미움을 받는다면, 우리는 한결같이 '나무를 베면 안 되겠다.' 는 생각만을 해야 합니다. 그러나 우리는 나무를 쓰지 않고 살 수 없습니다. 그런데도 이렇게 생각하는 것이 과연 합당할까요?

다음의 친구처럼 생각해 보는 것은 어떨까요?

내 생각에는 나무도 어차피 죽게 되는데 나무꾼이 잘라서 집도 되고 가구도 되어 좋은 곳에 쓰이면 그것으로 보람을 느낄 것 같다. 나는 식물도 동물도 엄마 같다고 느낀다. 자기 몸을 사람에게 준다고 해서 우리를 미워할 것 같지 않다. 또한 사람들은 자연에서 많은 것을 얻기도 하지만 자연을 많이 사랑하기도 한다. 집 안에서 나무를 기르는 것도 그래서가 아닐까?

쓰레기를 분리해서 재활용하고 자연에서 온 것을 낭비하지 않는 것이 자연을 더 사랑하는 방법이다. 사람이 자연을 소중하게 생각하면 자연도 사람에게 주는 것을 더 기쁘게 생각할 것 같다.

오히려 남은 자원을 재활용하는 것이 자연을 더욱 사랑하는 방법일 수 있습니다. 나무를 사용하지 않고 살아갈 수 없다면 자연을 더욱 가치 있게 활용할 수 있는 방법을 찾아보아야 할 것입니다. 사람이 자연을 소중하게 생각한다면 자연도 사람들을 위해 사용되는 것에 보람을 느끼지 않을까요?

CHECKPOINT

'비판적 사고'는 다른 견해와 '거리를 두고 생각하는 것'입니다. 남의 생각을 무조건 받아들이거나 무조건 받아들이지 않는 태도가 아니라, 요모조모 따져 본 후에 받아들일지 말지를 결정하는 것이 비판적 사고입니다.

3 사고 영역 _ 창의적 사고

본문에 나오지 않은 것을 자유롭게 상상합니다. 원래 이야기와는 다른 상상의 세계 속에서 자신의 독특한 견해를 만들어 나가도록 합니다.

'추억의 나라'를 보면서 많은 친구들이 감동을 받았을 거예요.

틸틸과 미틸이 할머니에게 요술쟁이 할머니의 도움을 받아서 추억의 나라에 왔다고 하자, 할머니는 "너희들이 왔었단다. 그 날 우리 생각을 했었지?"라고 답합니다.

요술쟁이 할머니의 도움 없이도 언제든지 드나들 수 있는 나라, 우리도 언제든지 가 볼 수 있는 나라가 바로 '추억의 나라'입니다.

> "누군가 우리를 생각하면 바로 우리는 잠에서 깨어나 그 사람을 만나러 간단다."
>
> ……(중략)……
>
> "여기서는 누구도 자라지 않는단다. 아무것도 변하지 않지."
>
> \- 제3장

참 아름다운 상상입니다. 작가의 말을 듣고 보니, '추억의 나라'는 어딘가에 반드시 존재하고 있을 것 같습니다.

무심코 흘려버린 것들은 추억의 나라에 간직되지 않습니다. 지금 소중하게 여기는 것들이 추억의 나라에 간직될 것이기에, 소중하게 여기는 것들이 많을수록 추억의 나라는 풍요로울 것입니다.

여러분의 추억의 나라는 어떤 곳인가요? 친구의 생각을 들어 봅시다.

제목 : 내 친구, 한동화

4학년 때 같은 반이어서 아주 친하게 지냈다. 우리는 수영장에도 함께 가고 자전거도 함께 타며 즐겁게 놀았다. 그런데 그 애가 부모님과 다른 도시로 이사를 가면서 우리는 헤어지게 되었다.

그 때는 무척 슬펐지만 다른 친구들과 재밌게 지내며 약간은 잊기도 했다. 내 추억의 나라에 있는 가장 좋은 친구인데 이 책을 읽으니 갑자기 그 애를 생각하게 되었다. 이메일을 보내야겠다.

CHECKPOINT

초등 학생이면 아직 추억의 소중함을 알기 어렵습니다. 주변의 어른들과 추억에 대해 이야기를 나누면서 추억의 소중함을 더 깊이 깨달을 수 있는 기회를 마련해 보세요.

4 사고 영역 _ 논리적 사고

생각할 거리에 대한 자신의 주장을 마련하도록 하는 문제입니다. 그리고 왜 이런 주장을 하게 되었는지 생각하게 하는 문제입니다. 어떤 주장을 할 때에는 적절한 이유를 생각해야 합니다. 이유를 마련하지 못한 채 주장만 해서는 다른 사람과 생각을 나누기 어렵답니다.

파랑새가 '행복' 과 '이루고자 하는 꿈' 을 뜻하는 말이라면, 그것이 멀리 있는 것이 아니라 가까이 있다는 것을 깨달았다면, 나의 주변에서 파랑새를 찾을 수 있어야 합니다. 여러분은 어떠한 일에 기쁨을 느끼나요? 매일 아침 욕실에서 샤워를 할 때 행복하다고 느낍니까? 대부분의 사람들은 그것을 그저 당연하고 단조로운 일상이라고 생각할 것입니다. 하지만 갑자기 비가 내리지 않아 심한 가뭄이 든다면 수도꼭지에서 물이 쏟아져 나오기를 얼마나 간절히 바라겠습니까. 이처럼 단조로운 일상의 하나하나가 기쁘고 감사한 일이라는 것을 깨달아야 합니다.

어떤 친구는 다음과 같이 답했습니다.

내가 가꾸어서 쑥쑥 자라고 있는 봉숭아 화분,
구슬로 만든 목걸이와 팔찌, 색종이로 접은 컵 받침,
엄마 사진이 들어 있는 보물 함,

내 책가방, 인형이랑 인형의 집, 옷, 우리 가족,

아빠가 녹음해 주신 시디(CD)…….

그런 것들이 나의 행복이다.

그리고 요리사가 되어 엄마, 아빠가 좋아하시는 음식을 만들어 드리겠다는 꿈을 꿀 때도 행복하다.

이 책을 읽기 전에는 나에게 소중한 것이 무엇인지 별 생각이 없었다. 하지만 책을 읽고 나니 파랑새가 방 안 가득 날아다니는 느낌이었다.

CHECKPOINT

어떤 것이 소중하다는 것은 그것이 없을 경우를 가정해 볼 때 가장 절실하게 깨달을 수 있습니다.

5 사고 영역 _ 논리적 사고

자유로운 가치 판단 아래에서 자신의 주장을 근거 있게 주장하는 훈련을 합니다.

먼저 본격적인 논술 문제에 답하기 전에 생각을 정리해 보는 예비 물음을 던져 보았습니다. 자유롭게 답하는 과정에서 사람이 태어나는 것은 어떤 의미가 있을까 하는 어려운 물음에 조금 더 다가갈 수 있었을 것입니다. 아마도 친구들은 다음과 같이 답할 수 있을 것 같습니다.

1 그렇다, 가끔.

2 언젠가 바닷가에 있는 집과 유럽의 아름다운 집들을 사진에서 보았는데 아주 예뻤다. 가끔 친구 집이 더 크고 멋있을 때, 그리고 친구 엄마가 더 맛있는 것도 많이 해 주고 화도 안 내실 때 여기에서 태어났더라면 하고 잠깐 생각하기도 했다.

3 더 안 좋을 것 같다. 나쁜 일을 미리 안다면 무서워서 걱정만 할 것 같다. 좋은 일을 미리 안다면 운명을 믿고 노력하지 않을 수도 있으니까 모르고 사는 게 더 좋을 것 같다.

4 태어나는 곳도 선택할 수 있다면 좋은 곳에서 태어나는 걸 선택하고, 나쁜 곳에서 태어나야 한다면 태어나지 않는 걸 선택하겠다.

5 좋다는 마음이 더 많지만 가끔은 싫을 때도 있다. 하지만 벌써 태어나 버렸으니 어쩔 수 없다고 생각한다.

이제 탄생의 의미에 대해 생각해 봅시다. 다음과 같이 각각 주장할 수 있을 것입니다.

주장 1 어차피 죽을 것이라면 태어나는 것은 의미가 없다.
이유 〈파랑새〉의 태어날 동생처럼 태어나서 얼마 후 죽는다면 부모나 가족에게 너무나 큰 슬픔을 안겨줄 것이기 때문에 차라리 태어나지 않는 것이 좋을 것 같다고 말할 수 있습니다.

주장 2 죽을 운명이라고 해도 태어나는 것은 의미가 있다.
이유 태어나 오래 살지 못하고 죽는다고 하더라도 태어났을 때 부모로부터 느끼는 사랑은 겪어 보지 않고는 알 수 없다는 것을 들 수 있습니다.

CHECKPOINT

'죽을 운명이라면 왜 태어나는가?' 라는 질문을 너무 무겁게 생각하면 어떤 사상가도 풀지 못할 어려운 질문이 됩니다. 조금 더 가볍게 문제에 접근할 필요가 있습니다. 살면서 우리가 어떤 기쁨을 느끼고 어디서 의미를 찾을 수 있는지 생각해 다음은 논술 5단계 문제에 관한 초등학교 6학년 학생의 글입니다. 지도에 참고하시기 바랍니다.

나의 주장 : 태어나서 행복을 누릴 수 있는 지금이 너무 좋다.

나는 죽을 운명이라도 태어나는 것은 의미가 있다고 생각한다. 일단은 태어나 봐야 이 세상이 어떤 곳인지 알게 되기 때문이다. 물론 태어난 후 오래 살지 못하고 금방 죽어야 한다면 너무 불쌍하기는 하다. 그렇지만 태어난 후의 짧은 인생 동안 인간은 분명히 무언가를 배울 수 있을 것 같다.

부모님이나 가족도 소중한 아기가 죽는 순간은 너무나 슬프겠지만 기억 속에서 영원히 아기를 사랑해 줄 것이다. 그러므로 가족들에게도 짧은 삶을 살다 간 아기는 의미가 있다. 그러면 아기는 더 좋은 곳에서 태어날 힘을 얻을 것이다.

수명이 보통 정도로 길고 건강하게 살 수 있다면 태어나 살아보는 것은 더욱 의미가 있다. 살면서 많은 일을 경험해 볼 수 있기 때문이다.

나는 태어나지 않는 것보다 태어나기를 잘 했다고 생각한다. 가끔은 다른 집에서 태어났으면 하는 생각도 하지만, 그것도 잠깐뿐이다. 나는 태어나서 맛있는 것도 먹어 보았고, 가족 여행도 했다. 부모님이 가끔 혼내시기는 하지만 부모님이 세상 그 무엇보다 날 사랑한다는 것도 안다. 동생이 가끔 귀찮게 굴지만 동생과 놀이터에서 노는 것도 매우 즐겁다. 가족에게서 느끼는 이런 사랑은 다른 어떤 곳에서도 느낄 수 없을 것이다.

나도 언젠가는 죽겠지만 만약 사람이 죽지 않고 산다면 나는 영원히 우리 가족과 우리 집에서 살고 싶다. 그래서 나는 건강하게 태어나 행복하게 살고 있는 지금이 좋다.

1 동물농장
2 걸리버 여행기
3 좁은문
4 돈 키호테
5 죄와 벌
6 정글북
7 지킬 박사와 하이드
8 전쟁과 평화
9 지구에서 달까지
10 허클베리 핀의 모험
11 비밀의 화원
12 이상한 나라의 앨리스
13 아큐정전
22 피터 팬
23 위대한 개츠비
24 닐스의 이상한 모험
25 오만과 편견
26 로빈슨 크루소
27 홍당무
28 타임머신
29 파우스트
30 파랑새

16 어머니
17 오즈의 마법사
18 허풍선이 남작의 모험
19 도련님
20 제인 에어
21 올리버 트위스트
요즘 시대엔 까무잡잡한 피부가 더 인기라구.
아이고, 톰 아저씨가 요즘 사람들을 보면 뭐라고 얘기하셨을까나.
다음 작품은 흑인 노예들의 애환을 그린 〈톰 아저씨의 오두막〉이야!
논술명작 31
톰 아저씨의 오두막